O CIENTISTA DE HOJE

LÚCIO MORIGI

Dedico este livro ao Calunga e
ao Gasparetto cujos ensinamentos
me possibilitaram torná-lo real.

PREFÁCIO

Muitas pessoas dizem que não se pode afirmar nada do que acontece após a morte porque ninguém voltou para contar. Como não? Hoje a comunicação com os mortos é rotineira, principalmente no Brasil. É só se interessar pelo assunto e ir atrás. Como para mim esse tema é fascinante e sempre me aguçou a curiosidade, fui atrás e agora ele já virou feijão com arroz. Costumo dizer que converso com os mortos toda semana. Sou uma pessoa privilegiada por ter um amigo médium da qualidade do Gasparetto, com quem escrevi o livro *Revelação da Luz e das Sombras*, que canaliza sábios, cientistas, pintores, poetas, magos e escritores que contam como é a vida no astral, o plano onde vivem os que morreram, ou melhor, desencarnaram.

Aprendi que lá não há nada de misticismo e mistérios, mas muita ciência e espiritualidade. É um mundo tão concreto e tão real quanto este, apenas vibrando em outra frequência energética. É o que os cientistas chamam de universo paralelo. Aliás, dizem que nosso mundo é uma cópia de lá. Pude comprovar muitos aspectos desse universo através de viagens astrais.

Como a Ciência está apenas iniciando as pesquisas nesse campo, ele tem ficado a cargo das religiões, que nos passam informações equivocadas a respeito, que remontam a milhares de anos, cheias de fantasias e medos, porque também não sabem e não se propõem a pesquisar. Com o tempo, a ciência tomará conta do assunto e as religiões acatarão como aconteceu no episódio de Galileu.

Todavia, o mais importante que a gente aprende com as pessoas desencarnadas não é como se vive lá, como é a geografia dos lugares, o que fazem, a sociedade, os costumes — o que também não deixa de ser muito interessante e curioso —, mas o que conta e o que não conta para viver bem, tanto lá quanto aqui. Foi essa a razão que me levou a escrever este livro.

Espero que você tenha uma ótima leitura.

Um abraço!

Lúcio Morigi

1

O lugar era simplesmente magnífico. Estou falando da próspera Fazenda Santa Luzia, localizada a três quilômetros de Pouso Alegre, no sul de Minas Gerais. Só não percebia sua beleza quem morava ali, como Ana Maria. É assim mesmo. As pessoas nascem e crescem envolvidas com o lugar, se identificam tanto com ele que acham aquilo rotineiro e tão comum não sentindo mais com a alma sua beleza. Onde já se viu? Nem para a luminosidade e o cheiro característico das manhãs de outono do sul de Minas Gerais Ana Maria ligava...

A danada sabia que era bonita e atraente, e explorava com maestria seus atributos. Aos dezesseis anos, tinha um corpo perfeito, uma tez tendendo para o marrom, olhos castanhos bem clarinhos e cabelos lisos que desciam até os ombros. Seu avô materno era mineiro, quase mulato, e sua avó era de origem italiana. Era impossível não se encantar com Ana Maria. Quem sofria com isso era o pobre do Henrique, apaixonado por ela desde os quinze. Agora estava com dezoito e seus traços físicos também não deixavam nada a desejar, para os suspiros e a inveja das garotas do lugar. Ana Maria, por sua vez, não lhe dava a mínima. Vizinhos, crescendo juntos, ela não via nele um futuro promissor, embora confidenciasse à amiga Rute que sentia atração sexual por ele.

Henrique, que estava cursando o colegial à noite na cidade, trabalhava como empregado na fazenda, assim como o pai de Ana Maria, seu Antero. O trabalho do seu Antero era administrar a propriedade e cuidar da ordenha das cem belas vacas leiteiras, enquanto Henrique tratava da alimentação delas. Sempre ao lado do pai dela, Henrique, tímido e receoso, jamais falara com ele da paixão que nutria por sua filha. É que seu Antero, um tanto quanto rigoroso, procurava não dar muita liberdade para Ana Maria, mesmo porque, desde criança, ela sempre fora uma menina levada da breca. No entanto, seu Antero confiava muito no rapaz e sempre que a filha queria ir a uma festa, ao cinema ou a um baile sem ele, só permitia se fosse na companhia do moço.

— Aninha — era assim que todos a chamavam — vai avisar o pai que o armoço tá pronto e aproveita e me traiz arguns tomate — disse dona Cândida.

Ana Maria fez o que a mãe pediu, mas em vez de colher tomates foi ter com Henrique, que ainda trabalhava.

— Riquê, você vai ao baile beneficente da APM?

— Não sei.

— Ah, vamos!

— Ainda não decidi.

— Ah, vai comigo, Rique, por favor — insistiu Ana Maria jogando um charminho para cima dele.

— Já falei que não sei!

Claro que Henrique ia. Eram compreensíveis suas respostas curtas, secas e com certa mágoa. Ele sabia que Ana Maria só lhe dava atenção quando precisava de algum favor. Tinha certeza de que, chegando ao baile, ela dispensaria sua companhia.

Quando finalmente Henrique disse que ia, ela deu um beijo no rosto dele e saiu correndo em direção à horta, cantarolando feliz. Isso incomodava demais o bondoso rapaz.

— Aninháááá! Cadê essa menina que não me chega com os tomate? — gritou dona Cândida.

— Já vou indo, mãe!

O baile da Associação de Pais e Mestres estava marcado para dali a quinze dias, uma semana após o início das férias escolares de final de ano.

Durante o almoço, Ana Maria se dirigiu a dona Cândida:

— Mãe, sabia que vai ter um baile na APM, não neste sábado, no outro?

— Sabia, eu ouvi no rádio.

— Vocês vão?

— Não sei, pede aí pro seu pai.

— Você vai, pai?

— Acho que não. Eu prefiro os baile caipira do sítio.

— Ah, mãe, eu queria ir.

— Com quem, menina? Suzinha é que não vai.

— O Rique disse que também vai.

— Não sei não — interveio o pai —, não tô gostando nada desse tanto sai pra cá e pra lá.

— Ah, pai, minhas amigas da escola todas vão. Eu não vou ficar em casa. O que é que tem? O Rique vai, a Rute vai, a Luiza vai, quase todas as meninas da fazenda vão. Eu é que não fico.

— Tá, tá, depois a gente conversa — disse a mãe —, agora trata de arrumar a mesa e lavar a louça que eu vou cuidar das criança, que tá quase na hora do ônibus da escola passar.

Ana Maria obedeceu resmungando.

— Eu vou, eu vou, eu vou.

Os irmãozinhos de Ana Maria eram Reinaldo e Robinson, dez e sete anos respectivamente. Dona Cândida ouviu uma galinha cacarejando no pasto e disse:

— Nardo, quando cê chegar da escola, vai vê se acha o ninho daquela galinha, que já faiz arguns dia que escuito ela cantar naquela banda. Precisamo juntar bastante ovo pro Natal.

— Deixa que eu vou, mãe — adiantou-se Robinson.

— A mãe pediu pra mim primeiro — reclamou Reinaldo.

— Mas eu é que vou — repetiu Robinson.

— Tá bão! Tá bão! Vai os dois. Agora rápido que o ônibus tá quase chegando.

A vida pacata na Fazenda Santa Luzia era um paraíso para as crianças e para os mais velhos, que já se tinham acostumado a ela, mas para a juventude era um tanto entediante. Qualquer acontecimento na cidade era um pretexto para fugir do dia a dia parado. Um baile, então... Ana Maria por diversas vezes dissera à mãe que, quando completasse o colegial, iria para Belo Horizonte morar com a tia Laurentina e fazer faculdade. Tia Laurentina era irmã de dona Cândida. Quando jovem quis ser freira e foi para Belo Horizonte. Ficou no convento por quatro anos, mas percebeu que não tinha vocação quando se apaixonou perdidamente por um seminarista chamado Carlos. Então decidiu sair do convento, arrumou um trabalho e conseguiu se formar em pedagogia. Lecionou por alguns anos, mas depois que nasceram os filhos preferiu se dedicar só à família.

Os dias longos dessa época do ano mais o horário de verão permitiam bastante sol após a chegada dos alunos do período da tarde. Mal chegaram da escola, Reinaldo e Robinson trocaram de roupa num segundo e correram procurar o ninho da galinha. Após uns minutos, dona Cândida se assustou com os gritos de Reinaldo.

— Mããão! Mããão! Mããão!

— Deus do céu! Valha-me, Nossa Senhora! O que foi, fio?

— Mããão! Achei, achei!

— Achou o quê, Santo Deus?

— O ninho da Abelarda!

Reinaldo se aproximou com três ovos na mão e, logo atrás, Robinson com mais três.

— Credo, moleque! Quase me mata de susto!

— É lá perto daquele toco.

— Guarda na despensa. Ocêis deixaro um ovo no ninho? Senão a galinha abandona e não bota mais.

— Deixei, mãe.

— Agora, depressa pro banheiro que a janta tá quase pronta.

2

A pouco mais de uma semana do baile, Ana Maria conseguiu seu intento mediante negociações com os pais, envolvendo promessas de cuidados que teria que tomar e prestação de serviços. Além disso, a danada ganhou um vestido e um par de sapatos novos.

A sede da fazenda era uma bela e enorme casa branca, com portas e janelas azuis, estilo colonial, quase toda avarandada, rodeada de um gramado impecável e flores por todo canto. Dona Cândida e Ana Maria acabavam de fazer a limpeza e a arrumação quando um carrão preto importado estacionou em frente à casa.

— Mãe, é o doutor Vasconcelos. Será que tá sozinho?

— Acho que não, fia. Ele ligou de São Paulo dizendo que vinha com a esposa e os fio.

"Será que o Caio José veio também?", pensou com seus botões Ana Maria.

A última vez que Caio esteve na fazenda, havia quatro anos, ele contava catorze anos. Pelo menos uma vez por mês o doutor Vasconcelos visitava sua fazenda, mas na maioria das vezes ia sozinho. Nas férias escolares, às vezes, ia com sua esposa e sua filha ainda pequena.

O coração de Ana Maria disparou quando viu descer aquele moço tão lindo.

— Mãe, não acredito que aquele é o Caio José!

— Se contenha, menina!

As duas foram até a entrada da casa receber os proprietários. Dona Cândida se adiantou e ficou admirada.

— Nossa, Izabelle! Como cê cresceu! E tá tão linda! Tava com saudade de ocê, fofa! Quantos ano cê tem mesmo?

— Nove. Cadê o Reinaldo e o Robinson?

— Tão na escola. Vão adorar te ver.

— Eu já estou de férias.

— As féria deles começa segunda-fera. E ocê é o Caio José? Não acredito! Tá um homão, hein? Benzadeus, que bonito! Dona Aurora, deixa que o Antero pega as mala. Já vou chamar ele.

Ana Maria só tinha olhos para Caio José e vice-versa. A admiração era mútua.

— Tem chovido muito por aqui, dona Cândida? — perguntou doutor Vasconcelos.

— Graças a Deus, não tem fartado chuva, dotor. Tem gente nas redondeza que já tá recramando com um mêis sem chuva.

— É, estou vendo, está tudo tão verde!

— Graças a Deus! Graças a Deus, dotor!

Seu Antero chegou, cumprimentou a todos, tratou de levar as malas e guardar o carro na garagem. Depois de uma conversa rápida sobre o tempo e os negócios da fazenda, doutor Vasconcelos se retirou para uma soneca. Dona Aurora subiu para tomar um banho, seu Antero voltou ao trabalho e Dona Cândida se dirigiu à cozinha. Izabelle corria para cá e para lá, enquanto Caio e Ana Maria permaneceram na varanda. É claro que na cabeça dos adultos passaram muitas coisas a respeito daqueles dois. Para quem já foi jovem, não precisa nem perguntar.

— Você terminou o colegial, Aninha? — perguntou Caio.

— Estou no último ano, e você, Caio José?

— Me chama só de Caio. Terminei agora. Em janeiro faço vestibular pra engenharia mecânica na USP.

— Não vai fazer nenhum cursinho? As pessoas daqui, quando vão prestar vestibular em São Paulo ou em Belo Horizonte, geralmente fazem um ano de cursinho.

— Vou tentar. Se não conseguir, faço um cursinho. Mas acho que vou conseguir porque minha escola é muito boa. O colégio tem período integral.

E o papo, cada vez mais descontraído, foi se estendendo para os mais diversos assuntos. Até o baile da APM entrou na pauta. Caio tinha chegado com planos de voltar, no máximo, em quatro dias para São Paulo, onde deixara Paola esperando. Mas, com o andar da carruagem, por motivos óbvios, seu interesse em estender a estada aumentou substancialmente. Não se importaria mais em permanecer na fazenda pelo tempo planejado pelos pais, pouco mais de duas semanas.

Apesar do interesse mútuo, o de Ana Maria subiu às alturas. Um rapaz bonito, culto, fino, rico, filho de médico, e de São Paulo, era tudo que ela mais queria na vida. Já da outra vez, quando ainda eram bem novos, embora Caio não estivesse nem aí, Ana Maria ficara balançada. Até chorou às escondidas quando ele voltou para São Paulo. Ficou uma semana de mau humor, o que sua mãe inclusive percebeu.

Quem não estava gostando nadinha daquela história era Henrique. Seu Antero contara-lhe da chegada dos proprietários, e Henrique, após o serviço, resolveu passar na casa de Ana Maria sob um pretexto qualquer só para ver se já tinham voltado da sede. Para sua tristeza e aflição, encontrou a casa fechada. Todos tinham ficado para jantar na sede. Mil pensamentos tomaram conta de sua mente. Pior ficou quando Ana Maria não apareceu no ponto de ônibus para ir ao colégio. Ela resolveu não ir à escola porque era o último dia de aula, apesar da repreensão do pai. Enciumado, Henrique mal conseguiu dormir naquela noite.

Do mesmo modo, Ana Maria também tinha dormido mal, mas devido à euforia. Mil planos passaram por sua mente. No dia seguinte, Henrique estava péssimo e seu trabalho pouco rendia, enquanto Ana Maria não conseguia se concentrar nos afazeres por causa da ansiedade. Dona Cândida foi cedinho à sede para trabalhar e levou os meninos, felizes com o início das férias, para brincar com Izabelle. Caio levantou às onze, tomou café e foi para a piscina. Era sábado.

Lá pelas tantas, como Ana Maria não aparecia, Caio deduziu que ela estava em casa sozinha. Arrumou-se e disse para a mãe que iria dar umas voltas. Ao ouvir isso, dona Cândida, que não era boba nem nada, pediu que Reinaldo chamasse Ana Maria porque tinha serviço para ela. O menino foi e voltou correndo.

— Nardo, cadê a Aninha? — perguntou a mãe.

— Ela disse que já vem.

— Por que cê não esperou?

— Ela disse que ia acabar de passar uma calça e já vinha.

— Devia ter esperado!

Dona Cândida ficou preocupada. Sua casa não ficava muito longe da sede, mas não dava para vê-la devido a um pequeno morro e algumas árvores. Olhou pela janela e não viu o rapaz.

***

— Oi, Aninha.

— Ai, que susto, Caio! O que você tá fazendo aqui? — perguntou trêmula.

— Calma! Calma! Por quê? Qual o problema?

— Se meu pai te ver, não sei o que pode acontecer.

— Mas por quê? O que é que tem?

— As pessoas daqui não são como as de São Paulo. Sabe, né? Meus pais são diferentes dos seus. Eles acham que os rapazes da capital só vêm aqui pra aproveitar e depois somem.

— Imagina!

— Minha mãe mandou me chamar e eu já vou.

— Espera um minuto.

— Pra quê?

Em vez de responder, Caio se aproximou rapidamente e, sem dar nenhuma chance a Aninha, agarrou-a e lhe deu um beijo na boca. A princípio ela quis afastá-lo, mas acabou cedendo e os dois se beijaram ardentemente. Caio ficou mais afoito e ela o interrompeu, desvencilhou-se dele e saiu correndo, não se importando em deixar a porta aberta. Estava meio apavorada, mas não disfarçava o ar de contentamento. O medo não era do que havia ocorrido, mas de que alguém da família visse. Caio, tranquilo, tomou a direção do barracão que abrigava as vacas para a ordenha.

— Cê demorou, hein, Aninha? Por que tá assim afrita?

— Nada, mãe. É que eu vim correndo.

Dona Cândida desconfiou mais ainda quando a aflição da filha passou e ela começou a cantarolar. Ao perceber que estavam a sós na cozinha, Dona Cândida se aproximou dela e falou-lhe baixinho com o dedo em riste.

— Cê toma cuidado, hein, menina! Se teu pai te pega andando suzinha por aí com o Caio, já sabe.

— Eh, para, mãe! Nem sei onde ele anda.

***

Enquanto isso, no barracão...

— Oi, seu Antero. Tudo bem?

— Tudo bem, Caio.

— Cada vaca linda, né?

— É. São da raça holandesa. Cada uma dá por vorta de trinta litro de leite por dia.

— Nossa! Olha o úbere daquela! Quase bate no chão.

— É a Estrela. Dá mais de quarenta.

— Cada uma tem um nome?

— Sim. É os menino que dão.

— E o senhor sabe o nome de todas?

— Sei. São como gente. Com a lida diária a gente acaba diferenciando cada uma.

— Que coisa bonita!

— Henrique! Riquê! — grita seu Antero.

— O que é?

— Vem vê quem tá aqui.

— O Henrique tá aí? — perguntou Caio.

— Sim, ele trabaia junto comigo.

— Na última vez que estive aqui, fiquei muito amigo dele.

— Cê cresceu tanto que acho que ele nem vai te conhecer.

— Aquele lá é o Henrique? Também cresceu, hein?

Henrique sabia que era Caio. Caio tomou a iniciativa e foi em direção a Henrique, abraçando-o fortemente. Este, a contragosto, retribuiu o abraço.

— E aí, cara? Lembra de mim? Faz quatro anos, né?

— Lembro, sim.

— A gente andou por essa fazenda toda a cavalo, lembra?

— Lembro.

— Tomamos banho na lagoa, na cachoeira, lembra?

— Sim.

— Pescamos muito.

— É mesmo.

— O que é? Parece que ficou tímido? Cadê aquele garoto falante, entusiasmado que queria me mostrar e ensinar tudo da fazenda?

— É. Acho que fiquei mais bobo.

Seu Antero notou a reticência de Henrique e desconfiou do que estava acontecendo. Sempre discreto, não comentava essas coisas com ele, porém, no fundo, torcia para que sua filha se apaixonasse por Henrique, porque o considerava um rapaz bacana, esforçado e bom. Nenhuma moça da redondeza o dispensaria. A vida tem dessas coisas.

3

Nos dias que se seguiram, Ana Maria foi proibida de ficar em casa sozinha. Sua mãe exigiu que ela a acompanhasse para ajudar nos serviços da sede. Se precisasse fazer um trabalho em casa, os meninos ficavam em sua companhia e Izabelle ia brincar com eles. Mas quem está apaixonado sempre dá um jeitinho para encontros furtivos. Depois, toda vigilância numa hora ou noutra relaxa, porque ninguém consegue vigiar com a mesma atenção o tempo todo. Ainda mais naquela casa enorme cheia de corredores e cômodos. Até no porão andaram se encontrando.

Quando, enfim, chegou o sábado do baile, ficou combinado que iriam Caio, Ana Maria, Henrique e Luiza no carro do doutor Vasconcelos e que se encontrariam na sede às dez da noite, como aconteceu. Ana Maria estava deslumbrante. Como se não bastasse, seu perfume, que Henrique havia tempo costumava sentir, deixou o rapaz ainda mais triste, porque ele sabia que tudo aquilo não era para ele. Antes mesmo de ir até a sede, sentira uma vontade enorme de desistir, como que prevendo a longa e difícil noite que teria pela frente. Mas resolvera manter o combinado com Ana Maria.

Quando Henrique chegou, dona Cândida o chamou num canto e falou baixinho:

— Riquê, não desgruda da Aninha. Sabe como ela é, né?

— Pode deixar, dona Cândida.

Não poderia haver noite mais propícia. O sol descera com nuvens alaranjadas por entre os morros e fazia um calor agradável, próprio de uma noite de verão do sul de Minas Gerais, com a visita esporádica de um ventinho carinhoso vindo do noroeste. O céu, abarrotado de estrelas, em breve receberia a visita da lua minguante. Parecia que a mãe natureza preparara propositadamente o palco para um grande acontecimento. Parecia que os céus tinham preparado uma grande comemoração.

Caio ligou o carro, e Ana Maria, depois de ouvir seus pais falarem um montão, apressou-se em sentar-se no banco da frente, restando para Henrique e Luiza o banco de trás. Dona Cândida, que espiava tudo, não gostou.

Luiza, com dezessete anos, também era uma moça bonita, e sua beleza era realçada por uma alegria constante. Era uma ótima companhia em qualquer ocasião. Adorou ficar no banco de trás junto com Henrique porque sempre arrastara uma asinha para ele e torcia para que essa combinação se prolongasse pelo baile afora. Mas Henrique apenas a tinha como uma grande amiga. Enfim, havia um clima de festa para três e de velório para um. No trajeto até a entrada do salão paroquial Henrique não conversou. Caio e Luiza até tentaram puxar assunto, mas suas respostas consistiam em "sim", "tá", "é mesmo", não dando sequência à conversa, para a estranheza deles. Ana Maria sabia o porquê, mas manteve-se calada.

Os músicos já tocavam no palco. Era um conjunto de Poços de Caldas, tido como o melhor do sul de Minas. A animação era geral. Entregaram seus convites e cada um recebeu um número porque haveria sorteio de prêmios no final do baile. O prêmio mais cobiçado era um fusquinha vermelho, doado pelo pai de um aluno, considerado o homem mais rico da região. Depois vinha um conjunto de sofás doado pela Casa de Móveis Moisés, uma bezerra doada pela Fazenda Alterosa, um corte de cabelo na Coiffeur Unissex Brigitte Bardot e diversos outros prêmios menores, como faqueiro, jogo de copos etc.

Os quatro se dirigiram até a mesa nove, que ficava próxima ao palco, e pediram chope e porções de deliciosos petiscos feitos pelas mães dos alunos. Como queria Luiza, a disposição dos lugares na mesa repetiu a do carro. Os músicos eram realmente muito bons. Naquele momento tocavam Beatles, mas executavam os mais variados ritmos.

Nem o terceiro chope conseguira descontrair Henrique, o que desanimou Luiza mas não a fez perder o bom humor. O clima na mesa não era dos melhores. Ninguém, até aquele momento, se atrevera a dançar, até que a banda começou uma sequência de animados rocks. Então, por iniciativa de Luiza, que já estava mais alegrinha, ela, Caio e Ana Maria foram para a pista.

Após um tempo voltaram para a mesa, tentando sem sucesso animar Henrique. Ele próprio já estava se sentindo culpado por atrapalhar a animação do grupo, tanto que se levantou dizendo que iria falar com seus amigos que estavam na mesa dezessete.

— O que está acontecendo com o Henrique? — perguntou Caio. — Ele era um garoto tão animado, falador.

— Não sei — respondeu Ana Maria.

— Acho que é coisa lá da família dele — acrescentou Luiza. — Ele me disse que o pai e a mãe vivem discutindo.

As duas tentaram justificar o comportamento de Henrique sem falar a verdade para não constranger Caio. Qualquer revelação comprometeria não só a festa, mas sua permanência na fazenda.

Como é sabido, depois do quinto copo ninguém é mais o mesmo. Ou melhor, aí é que se torna si mesmo. *In vino veritas*. Tudo parece mais fácil. O orgulho perde a intensidade, a pessoa relaxa, se libera; quem está alegre fica mais alegre, quem está triste fica mais triste, quem está apaixonado se apaixona mais, quem está com raiva fica mais raivoso. De repente, a banda parou com a música agitada e começou a tocar *Do You Wanna Dance,* de Johnny Rivers. A pista ficou cheia de casais. A própria Ana Maria não resistiu e puxou Caio para a pista, e eles começaram a dançar de rosto colado. Luiza aceitou o convite de um colega e fez o mesmo.

Não era fácil para Henrique suportar aquela situação. Claro que ele não iria atender ao pedido de dona Cândida. Da mesa dezessete presenciou a torturante cena dos dois se beijando. E, para piorar, viu o casal sair do salão de mãos dadas. Henrique aceitou o uísque oferecido por uma amiga e, já meio passado, levantou-se e saiu também, indo em direção ao estacionamento. Para seu desespero o carro não estava lá. O que Henrique mais temia estava acontecendo. Foi para a rua, sentou num lugar isolado e chorou copiosamente. Sentia uma mistura de profunda tristeza, ciúme, impotência e raiva. Como desejava estar no lugar de Caio! Por fim, meio cambaleante, para evitar mais sofrimento ou fazer alguma besteira, seguiu a pé em direção à fazenda. Henrique não era de briga. Preferia sofrer sozinho a tirar satisfação ou disputar à força, mesmo porque Ana Maria não tinha nenhum compromisso com ele.

***

Tinha sido muito fácil subornar o porteiro do Alvorada Palace. Não se tratava de um cinco estrelas, mas era considerado o melhor da cidade. Não ficava distante do salão paroquial, tanto que dava para ouvir as músicas. Dava a impressão de que a suíte principal fora previamente decorada para o momento. Tudo ali lembrava o amor.

Nem a ansiedade, nem o curto tempo de que dispunham impediram que se despissem aos poucos. O mais difícil era tirar peça por peça sem desgrudar as bocas. Caio, já com certa experiência, pretendia tomar os cuidados necessários, mas a volúpia tomou conta daqueles corpos nus sob a tênue luz de um abajur lilás. E, então, naquela espaçosa cama parecia haver dois animais. Ninguém mais sabia quem era quem ali. Literalmente era o encontro da fome com a vontade de comer. Era uma força muito além do controle do ser humano. Toda a razão do mundo já não fazia nenhum sentido. Nada, absolutamente nada conseguia detê-los.

O universo, sem dúvida nenhuma, estava conspirando totalmente a favor do casal, pois, lá no salão, os músicos tocavam *Je t'aime... Moi non plus*. O prazer fora tão intenso que Ana Maria sequer sentiu as dores da primeira vez. Era a explosão do sexo por excelência. Quando finalmente quedaram exaustos, suados e saciados, permaneceram ali por alguns minutos, pele sobre pele, se curtindo, como se fossem um só, completamente relaxados, sentindo com a alma a bênção daquele momento tão especial e, de maneira surpreendente, sem qualquer medo, culpa ou arrependimento.

O que é para ser será. Quando os espíritos são afins, quando a Natureza precisa ganhar, quando há um propósito superior, não há cuidados, não há vigilância que impeça o que tiver que ser.

***

De volta ao salão, aproximaram-se da mesa e encontraram Luiza rindo feito boba na companhia de um amigo.

— Cadê o Henrique? — perguntou Ana Maria.

— Seeei lá, tá pooor aí — respondeu Luiza rindo mais ainda enquanto acendia um cigarro.

Ana Maria sentiu que estava na hora de ir embora. Caio e Luiza concordaram, deram uma geral e, não encontrando Henrique, deixaram o salão antes mesmo do sorteio dos prêmios, deixando os números a cargo do amigo de Luiza.

— Se eu ganhar o carro, divido com você — disse o amigo.

— E see eu gaaanhaaar a vaaca, tam... bém diviiido com vocêêê..., — completou Luiza pondo a mão na barriga de tanto rir.

— Você fica com a parte do rabo — retrucou o amigo.

— Eee... vooocêê... coom... coom... a paarte doos... chiiiifres... ai... ai... ai... uuuuui... — respondeu Luiza quase perdendo o fôlego, que mais parecia um grito que uma risada.

A gargalhada foi geral.

Ainda rindo, entraram os três no carro, sendo que Luiza precisou de uma ajudazinha. No caminho de volta, Caio, alheio a tudo, lamentou a ausência de Henrique. Ana Maria, por incrível que parecesse, permaneceu serena, curtindo em paz a melhor noite de sua vida. Ela sabia que Henrique não comentaria nada com ninguém. Se havia alguma virtude que ela prezava no rapaz era a discrição. Luiza cochilou no banco traseiro e os dois aproveitaram o momento para trocar carícias e palavras de amor. Eram três da manhã.

4

Domingo de sol. Dona Cândida levantou cedinho, acordou os meninos, e eles foram à igreja a pé para assistir à missa das sete. Depois da missa ela foi direto para a sede. Reinaldo e Robinho ficaram para a aula de catecismo, pois se preparavam para fazer a primeira comunhão. Seu Antero foi trabalhar, porque quem cuidava das vacas não tinha descanso. Tinha apenas um fim de semana de folga por mês. O mesmo acontecia com os demais empregados e com Henrique, cuja folga por sinal era naquele domingo.

Eram onze e meia, os meninos haviam chegado fazia tempo e estavam zangados porque poderiam estar na piscina com Izabelle, mas tinham que ficar na companhia de Ana Maria que ainda não tinha acordado. Resolveram então aprontar. Foram lá fora e jogaram uma pedra na janela do quarto dela. Por sorte a janela era de madeira. Ana Maria acordou e nem percebeu a traquinagem. Olhou para o relógio na parede e viu que passava das onze e meia. Aprontou-se rapidamente, cantarolando, para a alegria dos safadinhos, e em vinte minutos já estavam na sede. Ainda deu tempo de eles caírem na piscina antes do almoço.

Ana Maria chegou cautelosamente, olhando para todo canto para ver se via Caio. Mas ele ainda dormia.

— Foi bom o baile, Aninha? — perguntou dona Aurora.

— Foi ótimo, dona Aurora. Vocês deviam ter ido.

— Ah, o Vasconcelos não gosta muito disso, não. Nosso tempo já foi.

— A senhora e a mãe deviam ter ido.

— Quem dera se seu pai me deixasse ir sem ele! — ponderou dona Cândida.

— O salão paroquial estava lotado. A maioria dos pais e das mães dos alunos foi. Dançamos a noite toda.

— Quem dançou? — perguntou a mãe, interessada.

— Eu, o Caio, a Luiza, o Henrique...

— O quê? A Luiza tá com o Rique? — jogou verde dona Cândida.

— Não, mãe. Eu dancei com o Caio, com o Henrique, e a Luiza também dançou com os dois.

— Ah, bão! Que hora chegaro?

— Acho que eram umas três. O baile ainda continuou. Nem esperamos o sorteio dos prêmios.

— Já deu no rádio. Quem ganhou o carro foi seu Afonso, o dono da relojoaria.

— É sempre assim. Só sai pra gente rica — argumentou Ana Maria.

— Para, menina! Sai pra quem tem sorte — quis consertar dona Cândida.

Quando percebeu a gafe, já era tarde. As duas olharam para dona Aurora, que sorriu e continuou lidando com o macarrão.

— E quem ganhou a bezerra? — perguntou Ana Maria.

— Sei lá. Por quê?

— Por nada. Queria que a Luiza tivesse ganhado — completou Aninha rindo.

Ana estava preocupada com Henrique. Aproveitou que Caio estava dormindo e disse:

— Mãe, vou dar um pulinho rápido lá no Henrique.

— Pra quê? Ocêis não deixaro ele em casa há poco?

— É que ele tomou umas a mais e não estava se sentindo bem — esclareceu Aninha já indo pegar a bicicleta.

— Não atrasa pro armoço!

— Tá.

— Sei não, mas acho que aí tem. Está certo, são dois jovens — falou dona Aurora.

— Acho que não... Ele gosta muito dela, mas ela nem dá bola.

— Vai saber. Um baile arruma tanta coisa... Eu comecei a namorar o Vasconcelos no meu baile de formatura.

— Ou desarruma, né?

— É verdade.

A casa de Henrique ficava a cinco minutos de bicicleta, mas do lado oposto ao da sede. O vira-lata anunciou a chegada de Ana Maria.

— Bom dia, Dona Palmira.

— Bom dia, Aninha. Entra.

— O Rique tá?

— Tá, fia. Tá emburrado lá no quarto.

— Quem é, mãe? — perguntou Henrique lá de dentro.

— É a Aninha.

Henrique se levantou rápido, passou a mão no rosto e foi para a sala.

— O que é?

— Vamos conversar lá fora?

— Não, pode falar.

— Deixa, eu vou pra cozinha — disse dona Palmira.

— Você tá bem?

— Tô.

— Por que veio embora ontem? Com quem você voltou?

— Vim porque quis, uai! Tava com dor de cabeça. Vim a pé. Quem pagou minha conta? Quanto foi, que eu dou o dinheiro?

— Para com isso, Rique. O Caio pagou tudo, até da Luiza.

— Pergunta pra ele quanto foi que posso muito bem pagar.

— Deixa pra lá. Não foi pra isso que vim aqui.

— Então foi pra quê?

— Pra ver se você tá bem, uai, e pra te agradecer. Se não fosse você, meu pai não tinha me deixado ir.

— Uai, você não foi com o riquinho? Não precisou de mim.

— Claro que não. Você sabe, meu pai nunca ia deixar. Obrigada, Rique!

— Tá bom, tá bom. Deixa pra lá.

— Vai jogar bola hoje?

— Vou. Você sabe que eu vou.

— Então... Tchau! Tchau, dona Palmira!

— Tchau, Aninha! Não quer ficar pro armoço?

— Não, obrigada, minha mãe pediu pra eu voltar rápido.

— Vai com Deus, fia.

Henrique voltou para o quarto. Seu humor continuava o mesmo. Por muitíssimo pouco, não perguntou aonde tinham ido com o carro e o que acontecera. Foi dificílimo, mas conseguiu se conter. Fazer o quê? Ele sabia que não tinha nada a ver com aquilo. No fundo achou melhor ficar na dúvida.

5

O tempo, que parecia parado, voava para os apaixonados. Para eles, a melhor coisa que dona Cândida fizera foi exigir que Ana Maria trabalhasse aqueles dias na sede. Qualquer descuido, lá estavam os dois se beijando pelos cantos. Caio já aventara até a possibilidade de estender sua permanência na fazenda por mais algum tempo, mas tinha o vestibular pela frente e nesse assunto seus pais eram rigorosos. O difícil era arrumarem tempo e um lugar seguro para transarem novamente. Para quem experimentou bolo de fubá, pão de ló já não é suficiente. Nosso espírito é assim. Quando experimenta uma coisa boa, é daí para a frente. Não adianta, não vai se contentar com algo inferior.

Ana Maria estava completamente dominada pela paixão. Não tinha dúvida de que Caio era o homem de sua vida. Nunca se apaixonara por ninguém. A coisa mais próxima foi o que sentira pelo próprio Caio quatro anos antes.

Com Caio era diferente. Já tivera três ou quatro namoradas: com uma se envolvera fortemente e as outras foram só passatempo, como a que deixara em São Paulo. Sua primeira namorada foi a que mais o marcara. Ela era três anos mais velha que ele, foi a que o iniciou sexualmente e ele sofreu grande desilusão quando ela o trocou por um surfista australiano.

À medida que os dias corriam, Ana Maria mais se encorajava a contar seu segredo à mãe. Seu plano era deixar tudo às claras e falar com Caio para pedir aos pais dela autorização para namorarem. Ficava triste só de pensar como seriam seus dias sem Caio naquele lugar. Ela aguardava ansiosa que ele a pedisse em namoro, mas até aquele momento, nada. Os Vasconcelos deveriam viajar no domingo seguinte.

Num de seus encontros secretos, ela criou coragem:

— Amor, por que a gente não namora? A gente se ama tanto!

Caio fora pego de surpresa. Ele também estava apaixonado, mas hesitava em assumir um compromisso com base numa relação tão curta e morando distante dali. Passava longe de sua cabeça a ideia de casamento, enquanto Ana Maria já alimentava essa ideia. Era muito confortável para ele ir embora e ver como o caso evoluiria. Por enquanto, preferia ficar no campo da diversão.

— Namorar?

— Sim, namorar.

— Claro, podemos namorar.

Ana Maria exultou.

— Então, vou falar com minha mãe primeiro, assim quem sabe ela conversa com meu pai explicando melhor que eu.

— Mas... por que falar com seus pais?

— Pra você me pedir em namoro.

— E precisa?

— Claro, amor! Aqui é assim. Enquanto você não falar com meus pais, não posso sair sozinha com você.

— É assim, é?

— É.

Caio ficou pensativo. Se falasse com os pais dela, o compromisso teria que ser sério.

— E seus pais são tranquilos?

— Minha mãe, mais ou menos, mas meu pai não. Ele é meio antigão. Quer o namoro em casa, que a filha case virgem pra não ficar falada.

— Mas... aí vai ser difícil!

— Não. No começo a gente pode até namorar em casa, mas com o tempo tenho certeza de que ele vai afrouxando.

— E se você conversar com sua mãe primeiro pra ir preparando o terreno?

— Mas a gente não se ama? Isso é que importa. Se você me ama, pode muito bem me pedir em namoro.

— Claro, claro, mas as coisas não são bem assim.

— Como não são bem assim?

— Está acontecendo tudo tão rápido, amor. Preciso pensar um pouco.

Neste momento ouviram o barulho de uma porta batendo.

— Depois a gente continua — disse Ana Maria saindo rapidamente.

Caio não gostou da ideia. Ana Maria não gostou do que ouvira. Será que seu pai estava certo? Que esses rapazes da capital só queriam diversão? Isso a deixara totalmente insegura.

— Aninha, por onde cê andava? Sempre que preciso de ocê nunca tá por aqui. Cê viu o Caio? A mãe dele tava procurando.

— Sei lá do Caio, mãe. Não tá na piscina? Ah, ele tá aí.

— Caio, sua mãe te procurou — avisou dona Cândida.

— Obrigado, dona Cândida. Sabe onde ela está?

— Subiu lá pros quarto.

Caio subiu a bela escadaria branca sob o olhar de Aninha.

***

— Oi, mãe! Você me procurou?

— Sim, meu filho. Feche a porta e sente-se aqui.

— O que foi, mãe?

— Filho, eu sei que você anda se encontrando com a Aninha às escondidas.

— É, é verdade.

— Cuidado, filho! As coisas aqui não são como em São Paulo. As pessoas daqui não são liberais.

— Já percebi... Mãe, tô gostando da Aninha e ela de mim. Ela até perguntou por que a gente não namora.

— Então o caso está mais adiantado do que eu pensava. E você, o que disse?

— Disse que ia pensar.

— Fez muito bem, meu filho.

— Mas vou ter que dar uma resposta pra ela.

— Você não acha que está muito cedo?

— Foi o que eu disse pra ela.

— Dê um tempo pra ver como as coisas evoluem.

— Foi o que pensei.

— Você volta pra São Paulo, faz o vestibular, com o tempo vai ter certeza do que quer.

— Tá certo. É o que vou fazer, mãe. Muito obrigado!

***

Dona Cândida, desconfiada, não tinha certeza dos encontros furtivos. Então, jogou o anzol.

— Aninha.

— O que ééé... mãe?

— Tava aqui pensando. O que você acha do Caio? É um bom rapaiz, né?

— Acho que é, por quê?

— Eu percebo o jeito como ele te olha. Te trata com tanto carinho...

— E daí?

— Ele não te disse nada?

— Disse o quê, mãe?

— Para de se fazer de boba, menina! Cê sabe do que tô falando.

— Tá bom, mãe. Quer saber mesmo? Disse, sim.

— Disse o quê? Quando?

— Disse que me ama.

— Santo Deus! E você?

— Eu disse que amo ele também, uai.

— Nossa Senhora! Então ocêis já se encontraro suzinho?

— Jááá, mãe!

— Onde?

— No baile. A gente até se beijou.

— Jesus, Maria! O Rique sabe? E se seu pai suber? Mãe Santíssima!

— Sei lá se o Henrique sabe, ele tava bêbado.

— Vai ver até que foi por sua causa que ele bebeu. Pobre Rique!

— Ah, mãe, não quero pensar nisso agora.

— Reza pro teu pai não saber.

— Mãe, já que a senhora tocou no assunto, dá pra falar com ele?

— Falar o quê?

— Que a gente se gosta e que Caio pretende me pedir em namoro.

— Cê enlouqueceu?

— Enlouqueceu por quê, mãe? A gente se gosta, temos idade pra namorar, qual o problema?

— Cê acha que Caio quer compromisso sério com você, fia? Quando ele quiser casar, vai procurar uma modelo de São Paulo. Não vai querer uma moça de fazenda do sul de Minas.

— Mas a gente se ama. Têm muitos casos que deram certo.

— É só em novela, fiinha. Eles leva muito em conta a sociedade, a curtura, o dinhero. Pode até casar, mas depois que a paixão passa, que a realidade aparece, acaba pedindo o divórcio.

— A senhora acha mesmo, mãe?

— E de que adianta ficar do lado de arguém que não te ama? Sua vida vai virá um inferno.

Aninha começou a chorar. Dona Cândida a abraçou acariciando sua cabeça.

— Carma, fiinha, carma! Não precisa chorar. Você tem tanto que aprender nesses assunto, querida... Todo mundo passa por isso. Por causa disso que as novela faiz tanto sucesso.

— Ah, mãe! Fala pro pai, fala.

— Acho que agora não é bão, fia. Ocêis má se conhece. Deixa que o tempo resorve tudo.

— Ah, mãe! Eles vão embora domingo. Preciso resolver isso já.

— Deixa que vão, fia. Se ele te gosta de verdade, ele vorta loguinho, loguinho. Até lá a gente vê o que pode fazer, tá?

Aninha continuou chorando.

6

Parecia que depois daquelas conversas os dois se sentiam mais livres. Pelo menos já se encontravam nos lugares visíveis da casa, o que não acontecia antes, porém, sem se tocarem. Dona Cândida já não ligava. Só chamava Ana Maria quando tinha um serviço para fazer. Até seu Antero já tinha visto os dois de conversinha e não dissera nada. Apenas na piscina Aninha não podia ir enquanto Caio não fosse embora. Seus pais achavam que era muita sem-vergonhice mostrar-se aos rapazes.

Os dois se encontraram na varanda em frente à sala de estar.

— Amanhã você vai embora, né, Caio?

— É. Eu queria ficar mais uns dias, mas meus pais querem que eu vá com eles.

— Fica. Depois você vai de ônibus.

— Não posso. Na semana que vem vamos pra Fortaleza e só voltamos na véspera do Natal. As passagens já estão compradas. Mas eu telefono.

— Vem passar o Natal e o Ano novo aqui.

— Vou ver, mas não sei, não. Sozinho eu seria mais vigiado ainda. A gente ficaria fazendo o quê?

— Eu me contentaria só com sua presença. Não quero nem pensar como serão meus dias aqui sem você. Eu te amo, Caio.

— Eu também te amo, Aninha. E você acha que eu vou me sentir bem em Fortaleza sem você? Vai ser um saco!

— Será que a gente não vai mais...

— É o que mais quero, mas como? Olha, fala pra sua mãe que você precisa ir pra cidade e então te dou uma carona.

— Nem pensar. Se você me levar de carro, ela manda o Reinaldo junto.

Caio viu uma linda rosa vermelha no jardim, foi até lá, apanhou-a, olhou para os lados e a entregou a Aninha, beijando seu rosto. Duas lágrimas rolaram dos olhos dela.

— Aninhááá!

— Tô indo, mãe!

Ana Maria retribuiu o beijo e foi para a cozinha.

— O que é, mãe?

— Que foi, fia? Tá chorando? E essa rosa aí?

— Não é nada, não.

— Ih, já entendi! Não precisa expricá nada. Vai com carma, minha fia, pra não se machucar mais. Descasca esse aio aqui pra mim.

Caio pegou a bicicleta e foi dar uma volta pela fazenda. Quando deu fé, estava em frente à casa de Henrique. Dona Palmira estava sentada na varanda descascando batatinha. Ao ver o rapaz se aproximando, levantou-se, deixou a bacia com as batatas no banco de madeira, limpou as mãos no avental xadrez e olhou interrogativa. Caio reconheceu a mãe de Henrique:

— Boa tarde!

— Tarde!

— A senhora não está me reconhecendo?

Dona Palmira observava atentamente.

— Não, não tô, não.

— A senhora não é a mãe do Henrique?

— Sô, sim. Uai, quem é você?

— O Caio, amigo do Henrique, lembra?

— O Caio?

— É, o Caio.

— Deus do céu! O Caio? Mas tá tão diferente! Tá tão grande!

— Faz quatro anos que estive aqui.

— Entra, criatura de Deus. Deixa eu te dá um abraço. Mais que bênça! Que rapagão bonito cê ficou, hein?

— O tempo passa e a gente muda, não é mesmo?

— Cês é que muda, mas os véio que nem eu não muda. Muda pra pior, né?

— Não, a senhora não mudou nada. Apenas os cabelos estão um pouco mais brancos. Desculpe-me, mas não me lembro do nome da senhora.

— Parmira.

— É mesmo... Dona Palmira. E seu marido?

— O Argenô? Tá trabaiando.

— Nossa, seu Agenor! Lembra, dona Palmira, que eu até dormi aqui algumas noites? Eu e o Henrique acordávamos cedinho pra pescar...

— E como me lembro, fio!

— O Henrique também ficou diferente.

— Tá um baita homão.

— Sabe, dona Palmira, o que mais estranhei no Henrique foi o comportamento dele. Ele ficou caladão, não puxa assunto, parece triste. Ele era tão alegre. Gostava de saber tudo de São Paulo e das viagens que fiz ao exterior.

— Dá licença um poquinho, fio, que eu vou vê a panela do arroiz. Vem, vem, vamo pra cozinha.

— Tá cheiroso esse arroz, hein, dona Palmira? Adoro arroz com alho.

— Aqui em casa só faço arroz com aio. Cê falou do Rique? Pois é, não sei o que aconteceu, Caio. De um tempinho pra cá ele ficou assim. Anda emburrado pelos canto. Eu desconfio que é coisa com mulher. Sabe, ele é apaixonado pela Aninha. Conhece a Aninha, a fia do seu Antero?

— Sei.

— Mais não é, fio? Ele carrega um caminhão por ela e ela não quer nem saber. Só diz que ele é um bão amigo dela.

— Entendi... Pode ser mesmo.

— Não qué tomar um café? Eu faço rapidinho. Ou esperá pro armoço?

— Não, obrigado, dona Palmira, já vou indo.

— Tá cedo. Não qué esperá? O Rique e o Argenô daqui a poco tão aqui pro armoço.

— Não, não. Diga a eles que mandei um abraço.

— Falo, sim, fio. Brigado da visita. Vai embora quando?

— Amanhã.

— Já? Da próxima veiz vem com mais tempo.

— Tá bom. Tchau, dona Palmira.

— Tchau, fio, vai com Deus.

Acabara-se o segredo de Henrique. Caio entendera tudo, mas estava em dúvida se contava ou não para Ana Maria. De uma coisa, porém, ele tinha certeza: mais do que nunca esperaria para ter qualquer tipo de compromisso com Aninha. Sentia-se um pouco chateado por estar envolvido na tristeza do amigo. Não estava certo se iria procurá-lo antes de viajar para esclarecer tudo. Mas não havia nada para justificar ou esclarecer. Aninha não tinha compromisso com ninguém. Ele não tinha culpa do que acontecera. Qualquer conversa nesse sentido poderia deixar Henrique ainda mais contrariado. O tempo seria a melhor solução. As coisas se ajeitariam como teriam que ser.

Ao chegar à sede, Caio foi procurar a mãe.

— Mãe, sabia que o Henrique é apaixonado pela Aninha?

— Sabia. Dona Cândida me contou.

— E por que não me disse nada?

— Ah, filho, eu não queria confusão. Depois, o que você poderia fazer? Nada. É a Aninha que tem que decidir. Acho que esse fato não alterou em nada a situação de vocês dois.

— Você tem razão, mãe.

— Você vai contar pra Aninha?

— Acho que não e nem vou procurar o Henrique.

— Faz muito bem. Se houver alguma coisa entre eles, eles que resolvam.

— Sabe, mãe?

— Fale, filho.

— Agora fiquei inseguro.

— É claro, antes você não tinha nenhum concorrente...

— Viajar pra São Paulo e deixar os dois aqui não é legal.

— É assim mesmo, filho. Você vai ter que trabalhar isso dentro de você. Você não confia nela?

— Já nem sei mais. Mãe, tem uma coisa que você não sabe.

— O que é, meu filho? Fala.

Caio fez silêncio, hesitando em contar. Dona Aurora imediatamente deduziu.

— Filho, não vai me dizer que vocês já...

— Já, mãe.

— Quando? Onde?

— No baile.

— Filho do céu! Tome cuidado, menino. Você pode se meter numa encrenca danada. Você não está em São Paulo.

— Não deu pra evitar, mãe. Foi uma força muito além da minha.

— Agora a coisa muda de figura.

— Como?

— Precisamos esperar as consequências.

— Que consequências, mãe? Você tá me deixando com medo.

— Você sabe muito bem de que consequências estou falando.

— Será?

— Será, sim. Ela tomou pílula? Você usou preservativo?

— Eu não. Ela também acho que não.

— Então?

— Mas, mãe, foi só uma vez. Não é possível.

— É possível, sim. Agora não adianta se lamentar. Deixe o tempo passar pra ver o que acontece. Ficar aí se preocupando não leva a nada. Depois a gente vê o que pode fazer. Mas você, hein, filho? Já está bastante crescidinho pra saber dessas coisas.

— E se ela estiver grávida?

— Calma! Vamos aguardar. Seu pai não vai gostar nada dessa história...

— Você vai contar pra ele?

— Por enquanto não. Mas, se ela estiver grávida, teremos que contar.

— Ai, meu Deus! E o pai dela, então...

Caio começava a se arrepender daquela noite no hotel. Lá se fora o sonho encantado... Dona Aurora pediu ao filho que não se preocupasse, mas ela ficara tão preocupada quanto ele. Para estranheza de Ana Maria, Caio a evitou.

7

Caio não dormira bem naquela noite. Sua mente estava repleta de perguntas: "E se Aninha estiver grávida? E se os pais dela exigirem nosso casamento? Será que Aninha vai apanhar? E se ela não me quiser mais? Se não estiver grávida, será que vai me trair com o Henrique? Com que cara vou olhar pro Henrique, pro seu Antero, pra dona Cândida? Detesto magoar as pessoas. E o vestibular? E a viagem a Fortaleza? Lá se foi meu final de ano. Será que nunca mais vou voltar aqui? E se Paola ficar sabendo?".

O carro já estava a postos. Todos estavam reunidos em frente à varanda, aguardando a saída.

— Izabelle, se despeça do Reinaldo e do Robinson — pediu dona Aurora.

Ternamente, a graciosa menina abraçou e beijou Reinaldo, depois Robinson.

— Ai que fofura! — falou dona Cândida. — Não vai ficar mais tanto tempo sem visitar a gente, viu? Da próxima veiz que seu pai vim, cê vem junto, tá?

— Tá. Tchau, dona Cândida.

— Tchau, meu amor. Que gracinha! — assentiu dona Cândida abraçando e beijando a menina.

A despedida mais aguardada, principalmente por dona Aurora e dona Cândida, era a de Caio e Ana Maria. As duas perceberam como eles se abraçaram, se beijaram no rosto e trocaram algumas palavras baixinho. Ana Maria não pôde evitar as lágrimas.

O carro preto foi observado até fazer a curva, deixando no ar um rastro de poeira, e no coração de ambos uma profunda tristeza. Reinaldo, Robinson e Izabelle também ficaram tristes, mas logo iriam se distrair, crianças que eram. Ana Maria adentrou a casa soluçando. Seu Antero percebeu.

— Dona, o que deu nessa menina?

— Cê não desconfia, não?

— Desconfiar de quê?

— Ora, home... parece que não teve juventude!

— Uai!

— Parece que ele também ficou caidinho por ela.

— Mais eles se encontraro?

— Mais não foram no baile no mesmo carro, home de Deus?

— Mais o Henrique foi junto.

— Até parece! Não percebeu como ele anda emburrado?

— É mesmo, dona. Amanhã vou ter uma conversinha com ele.

— Vê lá, home. Não vai arrumar encrenca. Sabe como são essas coisa. É melhor ficar quieto. Com o tempo ela esquece e tudo vorta ao normal.

Caio, por sua vez, não abriu a boca durante toda a viagem. Doutor Vasconcelos estranhou.

— Por que ele está assim? — perguntou à esposa.

— Não sei — preferiu dizer dona Aurora.

Depois, em São Paulo, contou ao marido do envolvimento dos dois, sem, no entanto, dizer que chegaram a ter uma relação íntima.

Na segunda-feira, tudo voltara à rotina. Antes de Henrique pegar no batente, enquanto tomavam café, dona Palmira se lembrou:

— Ah, fio. Me esqueci de te dizer. Sabe quem teve aqui?

— Quem?

— O Caio. Nem reconheci. Tá tão diferente!

— O que ele queria?

— Nada. Tava dando uma vorta e apareceu. Te mandou um abraço. Ele disse que estranhou seu... seu... Não me lembro da palavra.

— Jeito?

— Não, não foi isso que ele disse. Foi uma palavra mais compricada. Seeeu... Ah, me lembrei: seu capotamento. Disse que você tá tristonho, quase não fala...

— Comportamento, mãe! E a senhora falou o quê?

— Ah, nada, uma coisinha à toa. Disse que devia ser coisa com mulher.

— Só isso?

— Acho que foi. Nem me lembro mais. Foi tão sem importância.

— A senhora não disse o nome de ninguém, né, mãe?

— Ah, só falei que você gosta da Aninha, nada mais.

— O quê?

— Falei só isso. O que é que tem?

— Mãe, a senhora não devia ter falado da Aninha.

— Por quê, fio? Acho que ele nem percebeu. Nem deu atenção. Pegou a bicicreta e foi saindo.

— Caramba, mãe! Às vezes a senhora fala demais — repreendeu Henrique se levantando da mesa e saindo imediatamente para a labuta, largando a xícara cheia.

Dona Palmira não entendeu a atitude do filho e ficou arrependida, achando que devia ter falado alguma besteira.

Enquanto Henrique abastecia os cochos das vacas para a primeira ordenha do dia, seu Antero se aproximou.

— Rique, lá no baile cê percebeu se Aninha e Caio andaro junto?

— Vi que eles dançaram. Por que, seu Antero?

— Eu não queria te falar, mais parece que eles tão se gostando. Só dançaro?

— Acho que só. Deixa eles, uai!

— Eu não gosto desses rapaiz que vêm de longe, aproveita das moça daqui e depois some. Cê viu que aconteceu com a pobre da Eunice?

— Mas Caio não sumiu.

— Mais não gostei, não. Aninha ainda é de menor. Nunca namorou. É uma presa fácil. Depois, nunca vai dar certo. Aninha não é o tipo de mulher que esses moço quer pra casar.

— Sei lá, seu Antero.

Henrique desconversou, preferiu encurtar o assunto, saindo para buscar mais ração. No fundo ele gostou do que tinha ouvido. Seu Antero voltou interrogativo para seu posto.

8

Fazia uma semana que Caio tinha ido embora e Ana Maria continuava choramingando pelos cantos. Sua mãe cansou de aconselhá-la. Toda vez que saía, quando voltava perguntava se Caio telefonara. O telefone da sede tinha uma extensão na casa deles. Quando estava em casa, Aninha não saía de perto dele. Ela estava no banho quando o telefone finalmente tocou.

— Alô! Quem é? — indagou dona Cândida.

— É o Caio, dona Cândida. Tudo bem com a senhora?

— Quem é, mãe? — gritou Ana Maria.

— Oi, Caio, aqui tá tudo bão, graças a Deus, e você, meu fio?

— Quem é, mãe? — tornou a gritar Ana Maria.

— É pra você — respondeu a mãe.

— Como? — perguntou Caio.

— Não, meu fio. É Aninha que perguntou quem é.

— Entendi... — riu Caio.

— Ela tá no banho. Cê espera um poco aí, fio?

Nem precisou esperar. Aninha saiu do banheiro toda ensaboada e enrolada na toalha, tomando o telefone da mãe.

— Alô, alô, oi, meu amor!

— Oi, Aninha. Você está bem?

— Tô com tanta saudade...

— Eu também tô.

— Onde você tá?

— Em Fortaleza. Amanhã a gente volta.

— Queria tanto estar aí com você.

— Eu também queria que você estivesse aqui. Tá tão chato!

— Imagina aqui, então. Tudo é tão triste sem você. Quando você vem pra cá de novo?

— Não sei. Acho que antes de um mês não será possível por causa do vestibular.

Ficaram no telefone por meia hora. Embora o motivo do telefonema parecesse ser a saudade, ele ligara mais para especular se havia alguma novidade. Perguntou diversas vezes se estava tudo bem, tentando obter alguma informação, mas foi em vão. Caio estava aflito para saber do estado dela. Também teve vontade de perguntar sobre o Henrique, mas se conteve.

Ana Maria ficou mais animadinha. Até procurou o que fazer sem sua mãe ter que mandar. Era semana do Natal e o espírito natalino já se fazia sentir na fazenda. Dona Cândida passava os dias cantarolando "Noite feliz". Já tinha mais de duas dúzias de ovos. As crianças não viam a hora de ir à missa só para ver o presépio.

No Natal havia uma tradição católica muito bonita na qual as crianças pediam presentes não para o Papai Noel, mas para o Menino Jesus. O pedido era feito na noite da véspera de Natal. Os pais orientavam previamente as crianças sobre o presente que desejavam ganhar. Antes de dormir, elas colocavam sobre a mesa seus pratos com algum alimento, como milho, arroz, fubá, açúcar, grama ou touceirinhas de arroz plantado umas semanas antes, para alimentar o cavalinho do Menino Jesus em troca do presente. Então, cada um fazia uma oração e pedia que o Menino Jesus trouxesse determinado presente. No dia de Natal, acordavam bem cedinho, antes mesmo de o sol sair, e imediatamente se dirigiam à mesa. De longe já observavam curiosas e encantadas o presente depositado no lugar do alimento. Elas tinham absoluta certeza de que o Menino Jesus estivera ali, como se fosse um milagre. Era um momento de pura magia. Infelizmente hoje essa prática está caindo em desuso, sendo substituída pelo Papai Noel.

Reinaldo e Robinson aguardavam com ansiedade o mais importante evento do ano. O arroz que plantaram já estava crescidinho. Todo dia eles regavam-no e observavam o quanto crescia. Reinaldo ia pedir uma bola e Robinson um carrinho.

Todos foram à cidade, menos seu Antero, que precisava trabalhar. Foram fazer as compras para a grande festa. Dona Cândida combinou com Ana Maria que, enquanto ela e as crianças iam ao Mercado Santa Generosa, Aninha, disfarçadamente, iria comprar os brinquedos no Bazar Libanês. Teria que ter muito cuidado para que os meninos não percebessem. Ela comprou uma bola de couro e um lindo caminhãozinho amarelo. Chamou um taxi e se dirigiu ao mercado, onde Dona Cândida já aguardava com as compras feitas.

Na véspera de Natal, dona Cândida madrugou para preparar as coisas. Primeiro, matou dois frangos e mais tarde, com a ajuda de Aninha, os temperou, fez o recheio e os guardou na geladeira. Depois, com a ajuda dos meninos, que batiam os ovos, começou a fazer os mais diversos tipos de pudins e doces.

Lá pelas tantas, parou um táxi em frente à casa deles. Os meninos saíram correndo pra ver quem era, seguidos da mãe com uma tigela na mão, enquanto mexia os ingredientes do pudim de queijo. Dona Cândida deu um grito de alegria, voltou para a cozinha, colocou a tigela sobre a mesa e correu de volta para abraçar aquela senhora bem-vestida. Era Laurentina, sua irmã, e o casal de filhos adolescentes que vinham de Belo Horizonte para passar o Natal com eles. As crianças fizeram uma festa.

— Tia, o tio Carlos não veio? — perguntou Reinaldo.

— Não, meu querido. Ele precisou viajar pro Rio de Janeiro.

O interesse do menino era porque toda vez que o tio Carlos aparecia trazia presentes e bombons. Da última vez trouxera um par de camisas do Cruzeiro. Robinson ainda não tinha usado a dele porque ficara muito grande.

A festa ficou completa quando tia Laurentina abriu a mala e distribuiu um presente para cada um e muitas balas e bombons. Dona Cândida ganhou um lindo vestido estampado e disse que iria usá-lo no almoço de Natal; Aninha, um par de sandálias, e disse o mesmo; seu Antero, uma camisa azul-claro, e Reinaldo e Robinson, pares de tênis.

Seu Antero não foi trabalhar na parte da tarde. Ficou em casa para lidar com uma leitoa que iria fazer à pururuca. Eram três da tarde de um vinte e quatro de dezembro ensolarado. Com a permissão dos pais, Aninha, os irmãos e os primos visitantes foram para a piscina da casa da sede. Enquanto dona Cândida fazia os últimos preparos, as duas irmãs punham as fofocas em dia.

À noite, Ana Maria foi com os amigos, incluindo Henrique, à missa do galo. As crianças foram dormir cedo. Antes, porém, Reinaldo e Robinson colocaram seus pratos sobre a mesa da sala, um com arroz verdinho e outro com milho. Fizeram suas orações, seus pedidos e foram para o quarto, mas, devido à ansiedade, não pegaram no sono logo. Ficaram ouvindo a conversa das duas irmãs até altas horas.

Reinaldo acordou com o canto do galo. Por uma fresta da janela percebeu que o dia começava a clarear. Pôs-se de pé num segundo, chamou Robinson que imediatamente atendeu, e de mansinho abriram a porta do quarto que dava para a sala. Lá estava a magia feita. Quase em êxtase, correram acordar a mãe, o pai e Aninha, morta de sono porque tinha chegado tarde.

— Olha o que ganhei do Menino Jesus!

— Ai, que lindo! — assentiu Aninha.

— Bonito, né, fio? — falou o pai.

— Que bão, fios! Mais não faiz baruio pra não acordar os otro. Vão brincar lá fora.

Aninha voltou para a cama, mas, uma vez acordados, seu Antero e dona Cândida arregaçaram as mangas. Ele tratou logo de ir ao quintal acender o forno de barro para os assados, enquanto ela foi fazer o café. Depois que seus filhos acordaram, Laurentina deu-lhes os presentes que havia comprado. Em seguida, dona Cândida acordou Aninha para ficar cuidando dos assados, enquanto os que não tinham ido à missa do galo se trocaram, cada qual vestindo ou calçando seus presentes novos, para ir à igreja da cidade assistir à missa de Natal.

Tiveram um lindo e abençoado dia de Natal.

9

Passaram-se as festas e o Ano novo chegou. Caio passara no vestibular e ligara algumas vezes para Ana Maria, mas não conseguiu descobrir nada. Seguindo os conselhos da mãe, achou melhor não visitá-la, embora sentisse uma vontade enorme de se encontrar com ela, que sempre insistia para que ele fosse ao seu encontro.

Para surpresa de Ana Maria, havia mais de um mês que não menstruava. Sua preocupação aumentou quando começou a sentir náuseas e a ter enjoos frequentes. Dona Cândida a viu vomitando no banheiro, mas não atinou para o fato. Questionada, Ana Maria disse que havia comido alguma coisa estragada.

Certa tarde foi ter com Luiza:

— Lu, estou muito preocupada.

— Por quê, amiga?

— Minha menstruação não vem há dois meses e tudo que como me deixa enjoada. Acho que estou grávida. Não sei o que vai ser de mim quando meu pai souber.

— Credo, Aninha! Você fez sexo e não me contou? Quando foi?

— No baile da APM.

— Com o Caio?

— Foi.

— Menina do céu! E agora? Você vai contar pra ele?

— Não faço a mínima ideia. Minha cabeça está em parafuso.

— Já contou pra sua mãe?

— Claro que não, Lu.

— Acho que você deveria contar.

— Mas eu tenho medo de que ela conte pro meu pai.

— Mais cedo ou mais tarde ele vai ficar sabendo mesmo.

— Estou apavorada.

— Não fique assim. Faça o seguinte: conte com jeitinho pra sua mãe, que é mais compreensiva, e peça conselho a ela.

— E a coragem?

— Aninha, quanto antes você contar, melhor.

Ana Maria deixou a amiga decidida a, no dia seguinte, quando o pai estivesse trabalhando, contar tudo à mãe. Nem é preciso dizer que naquela noite ela não pregou os olhos.

No dia seguinte, Aninha procurou a mãe. A tensão era tanta que, antes de começar a contar, pôs-se a chorar.

— Que é isso, fia? Que aconteceu?

— Mãe...

— Fala logo, menina. Cê tá me deixando angustiada. O que aconteceu?

— Mãe, lembra do baile da APM?

— Craro que lembro. O que aconteceu no baile?

— Eu... eu...

— Desembucha logo, criatura!

— Eu... eu... me deitei com o Caio.

— Ocê o quê?

— Eu... e o... Caio fizemos amor.

— Creio em Deus Pai! Não me diga uma coisa dessas! Não acredito! Por isso que ocê anda enjoada, vomitando? É ou não é? Fala, criatura!

— É, mãe. E agora, o que é que eu faço?

— Sei lá o que ocê faiz, menina desajuizada. Só não te dou uma surra por causa do seu estado. Minha vontade é de te esganar! Valha-me, Virgem Santíssima! Seu pai vai te matar!

— Não conta pra ele, mãe. Por favor!

— Comida estragada, né? E quando essa barriga começar a crescer, seu pai não vai ver, não?

Ana Maria soluçava.

— Mãe, eu vou embora.

— Vai embora pra onde?

— Sei lá. Só sei que aqui não fico mais.

— Vai procurar o Caio, por acaso?

— Ele precisa saber, não precisa?

Por coincidência tocou o telefone.

— Mãe, se for o Caio, eu não atendo.

— Tomara que seja, que eu falo com ele. Alô, quem é?

— É o Caio, dona Cândida. Tudo bem?

— É você, Caio? Tudo péssimo. Óia aqui, seu aproveitador, não liga mais pra cá, viu? — disse furiosa dona Cândida, batendo o telefone.

— Mãe, não precisava falar assim.

— Cê queria o quê? Que eu ficasse feliz dizendo que ele vai ser papai?

Dona Cândida andava de um lado para o outro com os nervos à flor da pele, repetindo diversas vezes que não acreditava naquilo. Ana Maria chorava alto. Seu temor não era porque estava grávida — no fundo até estava gostando da ideia —, mas porque achava que tinha acabado de perder Caio e ainda teria que enfrentar o furor do pai.

E Caio então? Ficou paralisado. Aquilo que temia acontecera. O jeito como dona Cândida o tratara não deixava dúvidas. Aninha estava grávida, exatamente como sua mãe previra. Ainda bem que ela não estava por perto. Se arrependimento matasse... O mundo parecia ter desabado. Não disse uma palavra para sua mãe e saiu perambulando pelas ruas da cidade. Enquanto andava, cogitou a ideia de falar com os pais e entrar num acordo com a família de Aninha para tirar o bebê. Mas, católica tradicional como era a família de Aninha, achou a ideia muito pouco provável.

10

Uma semana depois, mãe e filha, com muito custo, ainda conseguiam manter segredo. Mas seu Antero estranhou bastante a atitude delas e constantemente perguntava o que estava acontecendo. Dona Cândida sempre dizia a mesma coisa, que era por causa da paixão de Aninha por Caio. Caio também se manteve em silêncio, muito embora sua mãe percebesse sua agitação exagerada.

— Filho, você falou com Aninha?

— Falei, mãe.

— E ela?

— Só diz que me ama, que está com muita saudade e pede para eu ir lá.

— Então está tudo bem, filho. Se tivesse que acontecer alguma coisa, já teria dado tempo. Por que você não pega um fim de semana e vai fazer uma visitinha a ela?

— Estou sem vontade.

— Parece que seu interesse por ela está diminuindo. É por causa da Paola?

— Não, mãe. Ainda amo muito a Aninha.

— Então, filho, vá lá, mas tome cuidado desta vez.

— Vou pensar.

Na verdade, o ocorrido em nada diminuíra a paixão entre os dois. Ao contrário, aumentara, e tudo indicava que estava se transformando em amor de verdade. Até passara pela cabeça de Caio eventualmente assumir a relação, constituir família e pronto, mas essa ideia esbarrava no futuro. Atrapalharia sobremaneira sua carreira. Casar também não só passava pela cabeça de Ana Maria, como ela torcia para que isso acontecesse.

Dona Cândida havia pensado muito e chegara a uma conclusão, que dividiu com a filha:

— Fia, senta aqui.

— O que é, mãe?

— Tava pensando aqui. Cê não disse que quer ir pra Belo Horizonte na casa da tia Laurentina?

— Quero, mãe, mas depois que terminar o colegial.

— Só que agora você vai ter que interromper a escola, né?

— Acho que sim, mãe.

— Então. Eu telefono pra tia, exprico tudo direitinho e ela vai entender, e acho que até vai gostar.

— E o pai vai deixar?

— Eu enrolo ele. Falo que ocê não esquece o Caio e do jeito que tá não dá pra ficar. Melhor mesmo é ir embora, se distrair com otras coisa, quem sabe cê esquece.

— Sei não, mãe.

— Óia, fia. Se os pai de Caio suber, é bem capaiz deles vir aqui e pedi pra ocê tirar a criança.

— Credo, mãe! Isso eu não faço nunca.

— Mais sabe como é rico. Dona Aurora até que é compreensiva, mais o doutor Vasconcelos a gente não conhece. Inda mais que é médico.

— Será, mãe?

— E se você tiver a criança e eles se encantar com ela? Sabe que o dinhero é que manda, né? Eles pode dizer pro juiz que têm mais condição que nóis. Eles nunca vão querer que você casa com o Caio.

— Ai, mãe!

— Vamo fazer assim, fia. Nóis não conta nem pra eles e nem pro teu pai, por enquanto. Depois que você ganhar, não vai ter mais jeito mesmo e ele acaba aceitando. Ele vai vê a criança, se encantar e até gostar. Mais agora é até perigoso ele se encrencar com o Caio e com o doutor. Nóis não pode perder este serviço, né, fia?

— Então eu nunca mais vou falar com o Caio, mãe?

— Paciência, fia. Você vai pra Belo Horizonte, quem sabe você arranja lá um moço bão que compreende sua situação. Cê é bonita, jove...

— Ah, mãe, eu não vou conseguir mais amar ninguém como amo Caio. Não sei se um dia vou me esquecer dele.

— Vai sim, fia. O tempo resorve tudo. A maioria não casa no primero namoro. E quando casa se arrepende de não ter escolhido melhor.

— E quando eu vou pra Belo Horizonte?

— Carma! Amanhã vou ligar pra tia, depois falo com teu pai. Inda bem que faiz poco tempo e sua barriga não tá aparecendo.

No dia seguinte, dona Cândida ligou para sua irmã e, felizmente, tudo ficou resolvido. Faltava o mais difícil: falar com seu Antero. Dona Cândida resolveu esperar, pois quando ele chegou para o almoço se queixou de que não estava se sentindo bem.

— Dona, tô com uma tontera... Não tô muito bão, não.

— Já é a terceira vez que você diz que não tá bão, Antero. Por que não aproveita esta tarde e vai na Santa Casa consurtar um médico?

— E quem trabaia no meu lugar?

— Chama seu Argenô. Já não feiz assim nas veiz que precisou ir pra cidade?

— Ah, não. Já vai passar. Das otra veiz passou.

— Te cuida, home! Cê nunca consurtou um médico na vida.

Mesmo assim, seu Antero voltou ao trabalho.

— Eta home teimoso, meu Deus!

11

Já fazia um mês que Ana Maria estava em Belo Horizonte. Sua barriga já exibia pequena saliência. Dona Cândida chorava todo dia. Tia Laurentina e tio Carlos estavam muito felizes com a presença da sobrinha, pois, além de ser ótima companhia, era muito trabalhadeira.

Dona Aurora estranhou o fato de Caio ter deixado de ligar para Aninha, apesar de se mostrar impaciente. Então, por iniciativa própria, resolveu ligar para a fazenda.

— Alô, dona Cândida. Tudo bem?

— Tá tudo bem, e a senhora?

— Estou bem, graças a Deus. E as crianças?

— Vão bem. Tão na escola.

— E a Aninha?

— Da úrtima veiz que ela ligou, disse que tava boa.

— Ligou? Por quê? Ela não está aí?

— Não tá, não. Ela foi pra Belo Horizonte.

— Ah, é? Foi fazer o que em Belo Horizonte?

— Estudar. Ela sempre quis.

— Nossa, que surpresa! Ela fez muito bem. Em Belo Horizonte os jovens têm mais oportunidades e podem fazer uma escola melhor.

— É mesmo. Depois que cresceu ela não gostou mais daqui.

— E a senhora, não sente falta dela?

— Choro todo dia, mais vou me acostumar, se Deus quiser.

— Com certeza. Mas logo chegam as férias e ela estará aí com a senhora.

— É mesmo.

— Então, está bem. Vou desligar. Tchau, dona Cândida, e boa tarde!

— Tarde.

Dona Aurora ficou realmente surpresa com a notícia e estranhou o jeito de dona Cândida. Sempre foi faladeira ao telefone. Contava até das galinhas...

Caio estudava na biblioteca.

— Filho, liguei pra fazenda.

— E aí? — perguntou interessadíssimo.

— A Aninha...

— O que tem a Aninha? O que aconteceu com ela?

— Dona Cândida disse que ela está em Belo Horizonte.

— Em Belo Horizonte?

— É.

— Ela me disse que queria ir pra Belo Horizonte, mas só quando terminasse o colegial. O que mais dona Cândida disse?

— Nada. Até estranhei. Só respondeu o que eu perguntei. Não prolongou o papo como das outras vezes.

— Ela deu o endereço da Aninha? O telefone?

— Não, nem perguntei.

— Devia ter perguntado, mãe.

— Ah, liga pra lá você e pergunta.

— Amanhã eu ligo.

Caio agora tinha certeza. Ana Maria fora para Belo Horizonte por causa da gravidez. O que o deixava triste era o fato de ela ter ido sem falar com ele. Pensou que se ela o amasse realmente teria dado um jeito de lhe telefonar. "E agora? E se ela desaparecer da minha vida para sempre?", pensou ele.

No dia seguinte, Caio pediu à mãe.

— Mãe, dá pra ligar pra dona Cândida e perguntar o telefone e o endereço da Aninha?

— Por que você mesmo não liga, filho?

— Já liguei — mentiu Caio — e ela não quis me dar. Você se entende melhor com ela, quem sabe você consegue.

— Por que será, hein, filho? Será que ela não quer que vocês se encontrem mais? Será que Aninha desistiu de você?

— Não acredito, mãe. Aninha gosta muito de mim. Isso é coisa dos pais dela.

— Também acho. Vamos dar um tempo e depois eu ligo.

Ana Maria também pensava em Caio todos os dias. Apesar de ter sido bem recebida pela família de tia Laurentina, sentia muita saudade de Caio, da fazenda, dos irmãos, do pai e, principalmente, da mãe. Sentia falta até da companhia de Henrique. No início estranhou muito o estilo de vida da cidade grande, bem diferente do que levava na fazenda. Na cidade sentia-se presa. Durante a semana procurava se envolver com o trabalho da casa e nos fins de semana costumava ir ao cinema com os primos, à missa com a tia Laurentina e de vez em quando passear com toda a família. Ainda não tinha feito novas amizades. Sua gravidez estava sendo muito bem acompanhada. Tia Laurentina tinha todos os cuidados do mundo com ela.

Numa tarde, quando Ana Maria limpava os móveis da casa, tocou o telefone.

— Alô?

— Fia, fia do céu!

— O que foi, mãe? Pra que esse desespero?

Ouvindo da cozinha, tia Laurentina se aproximou.

— O que aconteceu, Aninha?

— A mãe está chorando e quase não consegue falar.

— Fia, aconteceu uma desgraça!

— Fala, mãe, fala logo!

— Teu pai, fia.

— O que aconteceu com o pai, mãe?

— Tá... tá... morto, fia!

Aninha ficou paralisada.

— O pai, mãe? Como?... Quando?... — e começou a chorar alto.

— O que aconteceu, Aninha? Fala — perguntou nervosa tia Laurentina.

— Meu pai, tia. Meu pai morreu.

— Morreu?

— É — balbuciou Aninha chorando mais alto.

— Calma, filha! Calma! Me dá aqui o telefone... Não, espera aí.

Tia Laurentina foi correndo até a cozinha, pegou um calmante com meio copo d'água e o trouxe para Aninha.

— Toma isso, minha filha, toma rápido — insistiu, enquanto pegava o telefone.

— Cândida? O que aconteceu, mulher de Deus?

— O Antero..., Laurentina — soluçava dona Cândida. — Meu Antero morreu...

— Como isso foi acontecer, santo Deus?

— De repente... Ele caiu no trabaio. Henrique pegou ele, trouxe aqui pra casa, mais já tava morto. Deve ter sido ataque ou derrame. Ele andava se queixando de umas tontera. Quantas veiz, meu Deus, pedi pra esse home ir no médico. Mais o bicho era teimoso mais que uma mula... O que vai ser da minha vida, Laurentina?

— Calma, Cândida, calma! E as crianças já sabem?

— O Henrique foi buscar eles na escola. E a Aninha? Minha nossa! Nesse estado que ela tá...

— Já dei um calmante pra ela. Você está aí sozinha?

— Não, dona Parmira e seu Argenô já tão aqui.

— Olha, Cândida, pede pro Henrique providenciar tudo pro enterro e amanhã bem cedo a gente chega aí. Pede também pra ele ligar pro doutor Vasconcelos.

— A Aninha vem?

— Claro que sim.

12

O velório foi feito na própria casa de dona Cândida, que não se arredou um minuto do caixão. De vez em quando chorava mais alto, conforme iam chegando os conhecidos. O enterro estava marcado para as três da tarde. Tio Carlos, tia Laurentina e Ana Maria já haviam chegado. Mãe, irmã e filha choraram bastante abraçadas. Os meninos ficaram sentados na pequena varanda, tristes.

Num canto, Henrique conversava com Aninha sem desconfiar de nada:

— O que deu em você pra ir pra Belo Horizonte assim de repente?

— Eu sempre disse que iria. Fiquei com vontade de ir e aproveitei a vinda da tia no Natal. Pra que esperar se posso estudar melhor lá?

— Também estou pensando em sair daqui no ano que vem — completou Henrique esperando que ela o incentivasse a ir pra Belo Horizonte também.

— É bom mesmo. Aqui não tem futuro pra gente.

O coração de Aninha gelou ao ver o carro do doutor Vasconcelos se aproximando. Henrique se retraiu. "Será que Caio veio?", era a pergunta que ambos se faziam. Doutor

Vasconcelos desceu, depois outro senhor, mas a porta traseira não se abriu. Henrique ficou aliviado e Aninha, desapontada.

A essa altura, toda a vizinhança e conhecidos já se faziam presentes no velório. Para a admiração e curiosidade de todos, foi se abrindo uma ala para o doutor Vasconcelos passar, enquanto acenava com a cabeça, cumprimentando. Ele adentrou a casa, foi até a sala onde estava o caixão, cumprimentou dona Cândida e ficou por alguns minutos fitando o rosto de seu Antero, pensativo. Por pouco não chorou. Mas chegou a ficar com lágrimas nos olhos. Seu Antero trabalhara para ele por quinze anos. Era de total confiança. Seria muito difícil encontrar um substituto à altura.

Depois, apresentou à dona Cândida o senhor que o acompanhava, dizendo baixinho:

— Dona Cândida, este é seu João, que trabalha no meu escritório na cidade.

— Eu já conheço ele, dotor.

— Ele vai cuidar de tudo. A senhora não vai ficar desamparada. Vai continuar morando aqui, trabalhando pra gente. Ele apenas precisa ver quem vai ocupar o lugar do Antero, certo, dona Cândida?

— Certo, dotor. Muito brigado!

— A Aurora lhe mandou um abraço e pêsames. Infelizmente ela não pôde vir.

— Muito brigado, dotor! Agradece ela por mim.

— Está bem.

O doutor Vasconcelos e seu João deixaram o recinto e saíram, tomando a direção da cidade.

Dona Aurora achou que não valia a pena ir tão longe para voltar no mesmo dia, por isso preferiu deixar a visita de condolências para quando fossem passar o fim de semana na fazenda, já que tinha muito que conversar com dona Cândida. Caio insistira muito para ir, mas o doutor Vasconcelos não permitiu porque ele tinha uma prova naquele dia.

Após o enterro, tia Laurentina e tio Carlos voltaram para Belo Horizonte, mas Ana Maria, resolveu ficar com a mãe por uns quinze dias, para dar-lhe apoio.

De volta a São Paulo, Caio bombardeou o doutor Vasconcelos de perguntas:

— Pai, você viu a Aninha?

— Vi de longe. Não fiquei lá mais que quinze minutos.

— Como ela estava?

— Não sei, filho. Devia estar triste pela morte do pai, não acha?

— Mas o senhor nem conversou com ela?

— Não, filho. Mal falei com dona Cândida.

No dia seguinte, Caio arriscou telefonar para a fazenda. Esperava que Aninha ainda estivesse lá e atendesse o telefone. Pensou que, se dona Cândida atendesse, ele desligaria.

— Alô!

— Alô! Ufa! É você, Aninha? Meu amor!

— Ca... Caio? Espera um pouco — pediu Ana Maria ao ouvir a mãe perguntar:

— Quem é, fia?

— É dona Lourdes da igreja —disse Ana à mãe. E sussurou para Caio:

— Caio, não posso falar. Minha mãe está no quarto e pode ouvir.

— Calma, amor! É rápido. Por que sua mãe não pode ouvir? Por que ela me tratou mal da última vez?

— Ah, é coisa da cabeça dela. Ela não gostou que a gente dormiu no hotel.

— Eu te amo. Me manda seu endereço e telefone de Belo Horizonte

— Não tenho aqui. Depois eu mando — desconversou Aninha.

— Como você tá, meu amor? Tô morrendo de saudade.

— Eu também.

— Por que você foi pra Belo Horizonte? Com quem você mora?

— Pra estudar, uai. Estou morando numa república com umas amigas.

— Mas não era no próximo ano que você iria?

— Resolvi antecipar.

— Por quê?

— Porque sem você aqui a vida é muito chata. Vou desligar, Caio.

— Espera. Que chato o que aconteceu com seu pai, hein?

— É, tá muito triste. Tô com pena da minha mãe.

— Vai ficar até quando aí?

— Até amanhã.

— Espera mais um minuto. Me diz uma coisa: você tá... Você tá grávida?

— Grá... Grávida, eu? Que absurdo, amor! Claro que não! Vou desligar.

— Espera. Olha, se estiver grávida a gente pode...

— Pode o quê?

— Você sabe, meu pai é médico. Posso falar com ele.

— Falar o quê, Caio? Não estou entendendo.

— Pra tirar.

— Que é isso, Caio? Você enlouqueceu? Fique sabendo que, se eu estivesse grávida, jamais faria isso.

— Eu sei, amor. Me desculpa! É que eu ando tão...

— Tchau!

— Não se esquece de me ligar quando chegar a Belo Horizonte, viu? Tchau!

Dona Cândida entrou na sala assim que Ana desligou o telefone.

— O que Dona Lourdes queria, fia?

— Falar da missa de sétimo dia do pai...

Caio não ficou convencido com a resposta de Aninha. Arrependeu-se do que falara achando que poderia tê-la afastado definitivamente. Por sua vez, Aninha, além de ficar triste por achar que perdera definitivamente seu amor, ficara revoltada com a proposta de Caio. Sua mãe tinha razão. Com a morte do pai, a situação se amenizaria, principalmente diante de uma eventual união dos dois. Mas o que Caio dissera a deixara profundamente decepcionada e magoada.

13

Os dias que Ana Maria passou na fazenda foram longos e tristes. Além da ausência do pai, o que Caio dissera ao telefone, a tristeza da mãe e dos irmãos contribuíram bastante para aumentar sua dor. Imaginava como ficariam ali sem ela.

— Mãe, a senhora não quer que eu fique aqui mais tempo?

— Não, minha fia. Você precisa ir. Sua barriga tá crescendo e lá tem mais recurso dos médico. Deus vai me ajudar. Se não fosse os menino até ia com você e ficava lá um tempo. Quem sabe nas féria deles.

— Mãe, pega o dinheiro que o doutor Vasconcelos lhe deu e abre uma caderneta de poupança.

— É o que vou fazer. Com meu salário e com a pensão do pai dá pra viver muito bem. O doutor Vasconcelo é um home muito bão, né, fia?

— Demais, mãe. Se os pais de Caio souberem de minha gravidez, não acho que queiram tirar — disse Aninha sem comentar o que ouvira de Caio.

— Também acho que não, fia. O pobrema é depois. Será que Caio vai querer casar?

— Não precisa, mãe. Acho que eles iam ajudar muito essa criança.

— E se Caio quiser ficar com o bebê? Agora é uma coisa, depois que nasce é otra. Deus vai ajudar que não vai fartar recurso pra você criar esse fio. Vamo deixar as coisa como tão.

Todo dia Henrique arrumava um tempinho para visitar Aninha. Ela gostava de vê-lo chegando. Sentia-se menos triste. Ele, por sua vez, não tentava nenhuma aproximação mais íntima. Preferia não tocar em assuntos do coração naqueles momentos tão delicados. Apenas mantinha conversas amenas com ela.

Aninha deixou a fazenda triste, mas a vida precisava seguir seu curso. Caio seguidamente perguntava a sua mãe se Ana Maria não ligara, conforme havia prometido. Aos poucos ele foi se convencendo de que Aninha não queria mais saber dele. Pensava que se ela o amasse realmente, teria o procurado. O que mais o perturbava era a dúvida sobre a gravidez dela. Só podia ser esse o motivo de seu afastamento.

A gravidez de Ana Maria transcorria sem sobressaltos. Sua barriga era perceptível e as roupas já não conseguiam disfarçar seu estado. Seus tios eram muito atenciosos, ao que ela retribuía com trabalhos domésticos e sua agradável companhia. Seus primos adolescentes não viam a hora de o priminho nascer. Faziam apostas sobre o sexo. Juliana dizia que seria menina e Felipe apostava que iria ser menino.

— Aninha, se for menina, que nome você vai dar? — indagou Juliana.

— Ainda não sei, fofa. Gosto muito do nome Clara.

— E se for menino? — quis saber Felipe.

— Se for menino, vou batizar com o nome de Cristiano. Vai se chamar Cristiano de Oliveira.

— Que nome bonito, né? Oba! Então vai ser homem. Ganhei — aplaudiu Felipe.

— Não vai ter o sobrenome do pai? — questionou Juliana.

— Acho que não.

— Mas o pai dele vai aceitar? Quem é o pai dele?

— É um amigo meu.

— Mas ele já sabe? — insistiu Felipe.

— Ainda não.

— Por que você não conta? — reforçou Juliana.

— Porque os pais dele ficariam furiosos por ele ser muito jovem — desconversou Ana Maria.

— Quantos anos ele tem? — quis saber Felipe.

— Dezessete.

— Mas dezessete já é velho. Já pode casar.

— Pra você sim, mas não pros pais dele.

— Você gosta dele? — perguntou Juliana.

— Muito.

— E ele gosta de você?

— Acho que sim.

— Então, por que vocês não se casam?

— Nós somos muito novos para casar, querida.

— Vocês podiam ficar juntos e depois casar — completou Felipe.

— Meu amor, não depende só da gente.

E os primos curiosos faziam perguntas e mais perguntas embaraçosas.

— Tá bom, crianças. Vamos dormir que amanhã vocês têm que levantar cedo pra ir pra escola.

Ana Maria várias vezes resistira a pegar o telefone e ligar para Caio. Ficava ao lado do aparelho, sofrendo. O telefone era a coisa que mais a aproximava dele. Ela ainda o amava, apesar do que ele dissera. Se conversassem, talvez pudessem se entender. Também não queria fazer interurbano para não abusar da bondade dos tios. Torcia para que Caio descobrisse seu número e ligasse para ela. Aninha se perguntava: "Será que Caio disse aquilo porque estava desesperado? Será que não estou perdendo a grande chance da minha vida?".

Aninha tinha umas economias, já que, de vez em quando, dona Cândida e os tios davam-lhe um dinheirinho. Assim, ela podia dar umas voltinhas pela cidade, fazer umas compras, tomar um sorvete. Certo dia, passando em frente a um orelhão, resolveu comprar fichas de interurbano e fazer uma ligação. Do outro lado da linha Caio atendeu:

— Alô! Quem fala? Alô! Alô! Caramba! Desligaram.

— Quem era, filho?

— Não sei. Não falou nada e desligou. Devia ser engano.

Ao ouvir a voz de Caio, Ana Maria ficou trêmula. Como gostaria de ouvir um "eu te amo"! Não teve coragem suficiente para falar com ele e desistiu com lágrimas nos olhos. "Será que ele já arrumou outra? Será que me esqueceu?" Eram perguntas que martelavam sua mente.

***

Numa tarde de junho, tocaram a campainha da casa de Laurentina e Ana Maria se apressou em atender.

— Mãããe! Que surpresa!

— Minha fia! Como você tá, fia de Deus?

— Tô bem, mãe. E a senhora?

As duas se abraçaram e se beijaram num choro incontido. Tia Laurentina e os filhos vieram correndo e todos se abraçaram numa só alegria.

— Como você cresceu, Naldo! E você também, Robinson! O pasto tá bom, hein? Que saudade de vocês! — tornou Ana Maria abraçando os dois.

— Mãe, a Aninha tá barriguda! — observou Reinaldo.

— É mesmo — completou Robinson.

— Se aquieta, moleque! Ó o respeito! — repreendeu a mãe. — Depois a mãe exprica. Agora vão brincar, vão.

Laurentina, dona Cândida e Aninha conversaram demoradamente sobre a gravidez, enquanto no outro canto as crianças também comentavam.

— A Aninha vai ganhar nenê. Você não sabia, Reinaldo? — perguntou Juliana.

— Não. Mas ela nem casou...

— E precisa casar pra ter bebê? — interveio Felipe.

— Como que ganha nenê? — quis saber Robinson.

— É no hospital, com um médico — explicou Juliana. Vai ser um homem e o nome dele vai ser Cristiano.

Robinson saiu correndo em direção à sala.

— Mãe, a Aninha vai ter um nenê e vai se chamar Cristiano.

— Vai, meu fio, vai. E você vai ser tio.

— Eu vou ser tio, mãe?

— Vai, sim.

— Oba! Oba! — vibrou o menino e saiu correndo para contar aos outros.

14

Numa linda manhã de setembro, com uma vênus enorme brilhando na alvorada, nasceu Cristiano. Parecia que o céu celebrava a vinda daquela criança. Ana Maria pouco sentira as dores do parto normal. Com o filho sobre o peito, emocionada, chorava. Apressou-se em ver sua aparência. Os traços mais marcantes eram de Caio. Como gostaria que ele não tivesse dito para ela tirar o bebê, que tivesse aceitado ficar com ela e que estivesse presente para curtirem juntos aquele momento tão especial!

— Meu filho! Meu filho, querido! — não cansava de repetir chorando. — Mamãe vai cuidar muito bem de você. Você vai realizar muitas coisas e ser muito feliz, meu amor.

Na maternidade, tia Laurentina e os filhos, que até tinham faltado às aulas, aguardavam ansiosos. Vibraram muito quando a enfermeira trouxe a notícia do nascimento e de que mãe e filho passavam bem. Tia Laurentina limpou algumas lágrimas e apressou-se em telefonar para o marido e para a irmã.

— Alô, vó Cândida?

— Nasceu, mulher de Deus?

— Nasceu!

— Graças a Deus! — assentiu dona Cândida começando a chorar. — Como tá minha fia? E o nenê?

— Estão bem, graças a Deus.

— Cê já viu ele?

— Ainda não. Nasceu com três quilos e quarenta e cinco centímetros, de parto normal.

— Benzadeus! Como eu queria tá aí, minha irmã!

— Vem no fim de semana com os meninos.

— Acho que vou mesmo.

— Mais tarde eu ligo de novo.

— Tá bão, Laurentina. Deus lhe pague!

— Amém. Tchau!

— Tchau, minha irmã. Fica com Deus.

Dona Cândida desligou o telefone e correu ao quarto dos meninos.

— Nardo, acorda! Robinson, acorda! Nasceu o fio da Aninha.

— Nasceu, mãe?

— Nasceu, meus fio, nasceu.

— Oba! Eu já sou tio! — gritou Robinson.

— Eu também! — seguiu Reinaldo.

— E eu sou avó! — tornou dona Cândida às gargalhadas. Mas, de repente, quedou-se triste.

— Pena que o pai de vocês não tá aqui, né, meus fio?

— É mesmo, mãe — confirmou Reinaldo.

— Ele ia ficar tão feliz de ser avô... Óia uma coisa: ocêis não vão falar nada pra ninguém, escutaro?

— Tá bom, mãe — responderam simultaneamente.

— Mais pra frente, quando Aninha arrumar a vida dela, ela vem passear aqui e traiz o bebê. Agora vão se arrumar pra ir pra escola e quando chegar vocês arruma as coisa que sábado a gente vai pra Belo Horizonte.

— Oba! Oba! Eu vou pegar o Cristiano primeiro — disse Robinson.

Já no quarto da maternidade, Ana Maria recebeu a visita da tia e dos primos. Não demorou muito e a enfermeira entrou com Cristiano. Os olhos curiosíssimos de todos brilharam. Parecia que uma luz tomara conta do quarto todo.

— Nossa, que cabeludo, mãe! — espantou-se Juliana.

— Que coisa mais linda! — disse tia Laurentina enquanto pegava o bebê.

— Tia, é a cara do pai, acredita?

— É? Eu não o conheço. Ele é bonito?

— É um pão! As sobrancelhas, a boca e a testa são o Caio escrito.

— Ele não abre os olhos? — quis saber Felipe.

— Ainda não, meu filho. Ele está estranhando a claridade.

— Posso pegar? — perguntou Juliana.

— Pode, querida — respondeu Aninha.

— Cuidado, filha! Senta primeiro.

— Tia, você avisou o tio Carlos e a mamãe?

— Avisei. Sua mãe chorou feito uma criança.

— Claro, é o primeiro neto...

— Ela disse que sábado vem com os meninos.

— Ai que coisa boa! Queria tá lá só pra ver a alegria deles.

Enquanto os primos curtiam o bebê, Aninha falou baixinho:

— Tia, vou contar uma coisa. Não sei se você vai acreditar.

— Conte, meu bem.

— Quando estava na sala do parto, vi muitas pessoas presentes.

— Mas não eram os assistentes e o médico?

— Não. Eles ficavam num plano acima do chão. Eram cinco, além da equipe médica. Teve um que me chamou atenção devido à sua barba.

— Não me diga, filha.

— Parecia que tinham luz, com roupas uma mais bonita que a outra.

— Você não ficou com medo?

— Não, ao contrário. Senti uma paz e uma serenidade que nunca senti antes.

— Que interessante, Aninha!

— Eles olhavam pra mim sorrindo.

— E daí?

— Exatamente na hora do nascimento a luz aumentou e depois não os vi mais.

— Será que não foi coisa da sua cabeça devido aos medicamentos?

— Não, tia. Eram tão reais quanto o médico e as enfermeiras.

— Que coisa, hein, Aninha?

— Já li em algum livro que cada um de nós tem seu guia, ou guias.

— O anjo da guarda, você quer dizer?

— O anjo da guarda também. Mas o guia é uma pessoa como a gente, mas que já morreu, que existe no outro plano e que nos orienta e nos ajuda em momentos difíceis.

— Ah, sei. Agora me lembrei de que também já li isso, mas confundi com os anjos. Acho que pode muito bem ser verdade e você os viu.

— Mais do que nunca agora acredito na existência deles, porque o que senti e presenciei vale mais que um milhão de teorias.

— Ah, isso é mesmo! Quando você sente alguma coisa, minha filha, podem vir cem cientistas pra contestá-la que não adianta. Contra o sentimento não há argumento.

— Nossa, tia! Agora você falou difícil.

— Querida, eu também leio meus livros, uai!

15

Um ano depois, Cristiano já chamava a atenção de todos por onde passava com sua mãe, tanto por sua beleza como por sua esperteza. Virara o xodó da família da tia Laurentina. A avó não ficava um mês sem visitá-lo. Ana Maria pensara em retomar os estudos, mas achou melhor ficar com o bebê, que ainda mamava, o tempo todo. Caio desistira de procurar Ana Maria e namorava firme com Paola, mas não se esquecera dela e o lance da gravidez volta e meia vinha à sua mente: "Por que Aninha não quis dizer que estava grávida? Será que ela disse a verdade? Por que eu fui dizer aquilo pra ela?".

Henrique tinha terminado o colegial e também decidira ir para Belo Horizonte. Arrumou um serviço no escritório de uma construtora de grande porte, e à noite fazia cursinho para se preparar para o vestibular de Administração. Tinha o endereço e o telefone de Ana Maria, que dona Cândida tinha lhe dado.

Ele ainda não tinha tomado coragem para procurar Aninha. Seu temor era encontrá-la compromissada com alguém. Na cidade grande, com poucos amigos ainda, a saudade e a solidão batiam mais fortes. Num sábado à tarde, resolveu tomar um chopinho com um amigo de cursinho, num barzinho do centro. Depois do quinto copo, Henrique mais solto, contou-lhe sua história. Seu amigo o incentivou, dizendo que ele deveria procurar Aninha.

Então Henrique teve uma ideia. No domingo se levantou cedo e se dirigiu à igreja do bairro onde Ana Maria morava. Ele sabia que ela ia todo domingo à missa. Chegou bem antes das nove horas e colocou-se num ponto estratégico da praça, para observar as pessoas que chegavam. Quinze para as nove, o sino tocava pela última vez antes da missa, o povo chegava em grande número, mas até aquele momento nada de Aninha. Henrique começou a ficar aflito.

Cinco para as nove, seu coração disparou. Reconheceu dona Laurentina e a que estava ao seu lado só poderia ser Aninha. Mas estranhou porque ela carregava um bebê.

"É a Aninha, sim", pensou. "Como eu não a reconheceria? Mas... de quem é aquela criança? Da dona Laurentina não é. Será, meu Deus? Um menino de cerca de um ano? Será? Não pode ser! Do jeito que ela o carrega, só pode ser dela. Não acredito! Mas... cadê o pai? Não é possível o que estou pensando..."

Henrique rapidamente fez as contas e tudo começou a se encaixar. Tomou o caminho de casa arrasado. Antes de chegar à república, parou numa cabine telefônica e ligou para dona Cândida.

— Alô, dona Cândida? Sou eu, o Henrique.

— Oi, Rique. Como você tá, fio? Encontrou a Aninha?

— Não, dona Cândida. Eu vi ela entrando na igreja.

— Mais por que não falou com ela?

— Dona Cândida, ela tem um filho?

— Tem sim, fio. Cê não sabia, né?

Henrique não respondeu.

— Alô, Rique. Tá me escuitando?

— Tô, pode falar.

— Pois é, fio. Agora cê sabe por que ela foi pra Belo Horizonte, né?

— É do Caio?

— É, fio.

Henrique tampou o fone e exclamou raivoso apertando o aparelho:

— Eu sabia!

— Alô, Rique?

— E ele está com ela? — retomou Henrique.

— Não.

— Mas ele sabe?

— Não sabe, não.

— Mas ele precisa assumir a criança.

— Ah, fio, é uma história longa. Depois você encontra a Aninha que ela te exprica.

— Não sei se vou procurar a Aninha, dona Cândida.

— Vai, fio. Ela vai gostar de te ver.

— Tá bom, dona Cândida. Vou desligar.

— Tá, meu fio. Fica com Deus.

Mais uma vez Henrique sofria por Aninha. O domingo demorou a passar. Henrique ficou andando pela cidade meio sem rumo. Bateu uma solidão e um vazio muito grandes, e uma saudade enorme da fazenda e dos tempos em que ia para a escola com Aninha. Chorou feito criança, ainda mais quando passou perto de um bar e ouviu uma música dos tempos de escola.

No dia seguinte dona Cândida ligou para Ana Maria contando que o Henrique havia telefonado.

— Mãe, a senhora pediu pra ele me ligar?

— Pedi, fia. Mas ele me pareceu meio magoado.

— Disse pra ele guardar segredo?

— Cê acha, fia? Não faria essa indelicadeza. O Rique é de confiança. Não sai por aí dizendo as coisa.

— É mesmo, mãe.

— Por que você não liga pra ele?

— Ah, não sei não, mãe. Vai parecer que estou me oferecendo.

— Besteira, fia! Ele sempre foi seu amigo.

— Vamos ver. De repente ele me liga.

— Tá bom, fia. Como tá o Cristiano?

— Tá ótimo, mãe. Cada dia mais lindo.

— Que coisa, né, fia? É a cara do pai. Se o Caio visse ele, não ia querer abandonar ele nunca mais.

— Ah, mãe, nem me fala. Ainda sofro com isso. Às vezes me pergunto se não seria bom a gente esclarecer tudo pra família dele.

— Pelo amor de Deus, fia! Você corre o risco de perder o fio pro pai dele.

— Tá bom, mãe. Vou desligar.

— Tá, fia. Fica com Deus.

— A senhora também.

Dona Cândida torcia para que Henrique se encontrasse com Aninha e que os dois se entendessem. Assim o problema estaria resolvido, pelo menos para ela.

16

No dia de Corpus Christi era tradição num bairro de Belo Horizonte as pessoas fazerem desenhos nas ruas por onde passaria a procissão com o ostensório que continha a hóstia consagrada. Centenas de pessoas participavam da procissão e outras tantas assistiam das calçadas e das janelas, também enfeitadas.

De um lado da calçada, Henrique percebeu que a procissão já tinha dobrado a última esquina e começava a percorrer a avenida em sua direção. Já se ouviam os cânticos típicos da ocasião. Eram hinos que falavam da hóstia santa, do coração de Jesus, do santíssimo sacramento, cujas letras eram conhecidas de todos. A avenida inteira era um coro só. A voz das mulheres se destacava.

Henrique assistia despreocupadamente à procissão que passava à sua frente. De repente, o braço de alguém que participava tocou o seu, chamando-lhe a atenção. Ambos se miraram. Olho no olho. Ana Maria até parou de cantar.

— Henrique...

— Aninha...

— Vamos. Não posso parar. Todos estão me acompanhando.

Tia Laurentina carregava Cristiano e atrás dela vinham os filhos e o marido. A princípio, Henrique hesitou, mas resolveu acompanhá-los. Não trocaram uma só palavra até o final da procissão. Quando um encontro precisa acontecer, mas o orgulho não deixa, a vida se encarrega de tomar as devidas providências.

A procissão terminou dentro da matriz com vivas acalorados a Jesus. O grupinho se reuniu na praça da igreja. Ana Maria, com Cristiano no colo, depois de apresentar o amigo à família, iniciou a conversa:

— A mãe falou que você estava em Belo Horizonte. Por que não me telefonou, Rique?

— Ah, não quis te perturbar.

— Você sabe que nunca me perturba.

— Tá grande seu filho, hein?

— Tem um ano e meio.

— Sua mãe me contou.

— Você tá estudando? — perguntou Aninha mudando de assunto.

— Tô fazendo cursinho. E você?

— Quero ver se retomo os estudos no próximo ano. Vamos lá pra casa com a gente?

— Qualquer dia apareço lá.

— Não, vamos agora. Não cabe todo mundo no carro do tio, mas, se você tomar o ônibus circular, para em frente a nossa casa. Em meia hora você chega.

— Hoje não. Outro dia eu vou.

— Não, vai hoje. Você almoça com a gente — interveio tia Laurentina.

— Tá bom. Eu vou.

Após o almoço, Henrique assistia à televisão e ao mesmo tempo respondia às perguntas feitas pelo tio Carlos, enquanto Cristiano dormia e tia Laurentina e Ana Maria lavavam a louça.

— Bonito esse seu amigo, hein, Aninha? — disse Laurentina.

— É, sim. Henrique sempre foi bonito, desde menino. Crescemos juntos lá na fazenda.

— Você nunca se interessou por ele?

— Não. Acho que foi pelo fato de a gente ter crescido junto.

— Mas ele gosta de você, não gosta?

— Muito.

— Nossa! Qualquer moça se interessaria por ele.

— Ih, lá na fazenda, tem umas cinco!

— Como são as coisas, né?

— É. O coração tem disso.

Os dois arrumaram de ficar a sós no quintal. Depois de conversarem banalidades, o assunto "Caio" veio à tona.

— Por que você não contou pra ele? — quis saber Henrique.

— Ah, eu estava meio desnorteada e minha mãe me aconselhou que seria melhor assim.

— Mas ele precisa saber e assumir. E depois, seu filho tem o direito de ter uma vida financeiramente tranquila.

— Eu sei disso. Mas eu tenho muitas dúvidas. Tenho medo de que o Caio queira ficar com o Cristiano sem ficar comigo, ou ficar alguns dias com ele e outros comigo.

— Isso pode acontecer mesmo.

— Acho que eu não suportaria. Hoje o que mais quero é viver em paz com meu filho. Sei que estou sendo egoísta, mas por enquanto ainda não criei coragem suficiente pra tomar uma decisão nesse sentido.

— Você ainda ama o Caio?

— Acho que sim.

Henrique não gostou da resposta. Desde que a vira na procissão começara a aventar a hipótese de que, se ela quisesse, ele ficaria com ela e o filho. Sem contar que ele se encantara com o menino. Assim estaria resolvida sua vida em Belo Horizonte. Acabaria a tristeza, a saudade e o vazio que tantas vezes sentiu.

Henrique voltou mais animado para a república. Ficou combinado de saírem para ir ao cinema, tomar um sorvete. Aninha disse que se ele quisesse poderia ir para a casa dela todos os domingos.

E assim foi acontecendo. Falavam seguidamente pelo telefone e Ana Maria ficava chateada quando Henrique não aparecia no domingo. Mas por ora ninguém tocava em assuntos do coração. "Será que Aninha está começando a se interessar pelo rapaz?", perguntava-se tia Laurentina, que ia mais além: "Eles podiam morar na casinha dos fundos".

17

Ficou combinado que sábado à tarde iriam assistir ao filme *Carruagens de Fogo*. A vida de Henrique girava em torno de Ana Maria. Só tinha na mente uma coisa: os fins de semana. Até sua concentração nas aulas do cursinho estava diminuindo. No serviço, todos estranhavam o seu jeito. Aquele rapaz quieto, reservado, com certo ar de tristeza, agora era só alegria. Quem mais estranhou foi Bete, que o paquerava desde que ele entrara na empresa. Henrique também simpatizara com ela. Inclusive tinham saído juntos. Mas agora ele só tinha olhos para Aninha. Andava tão animado que arrumara um time de futebol de várzea para bater uma bola nos fins de semana.

Ana Maria se arrumou toda, passou aquele seu perfume costumeiro, tomou o circular e foi para o encontro marcado. Henrique, de calça jeans, camisa xadrez azul e tênis, já estava aguardando havia uma hora na porta do cinema. Quando Aninha o beijou no rosto, ele sentiu seu perfume e todo um passado de magia veio-lhe à memória. Ainda deu tempo para tomarem um sorvete. Ele fez questão de pagar o sorvete e as duas entradas.

Tendo o filme começado, Henrique encostou seu braço no de Aninha. Seu coração bateu mais forte porque ela não mostrou resistência. Aos poucos ele foi se aproximando mais, até encostar o ombro. Ela foi deixando. Uma hora de filme e ele tirou o braço e o colocou em cima do encosto da poltrona dela. Ela se ajeitou. Ele, devagarzinho, deixou o braço tocar seu pescoço. Quando o braço a envolveu, ela encostou sua cabeça na dele. Seu coração foi a mil. O filme ficou em segundo plano. Ele tirou o olho da tela, virou-se para ela e ela fez o mesmo. Suas bocas estavam a menos de dez centímetros uma da outra com os narizes quase se tocando. Então... se beijaram demoradamente.

Depois do beijo, os dois não disseram uma palavra. Com as cabeças coladas o tempo todo, ele alisava o cabelo de Aninha. Ao saírem do cinema, não ousaram tocar no assunto, apenas comentaram que o filme fora bom. Assim se portaram até o circular chegar em frente à casa dela, como se tivessem feito um acordo para não quebrar o encantamento. Desceram do ônibus de mãos dadas e atravessaram a rua para Henrique aguardar o circular de volta. Quando o ônibus apontou na esquina, eles se beijaram rapidamente e se despediram. Aninha disse-lhe que o esperaria no dia seguinte para almoçar. Ela entrou em casa toda feliz e ele voltou para casa triunfante.

Tia Laurentina percebeu a alegria de Ana Maria:

— Pelo jeito o filme foi ótimo! — disse com ironia.

— Foi uma maravilha, tia. Até ganhou o Oscar — devolveu mais irônica Aninha. — Henrique confirmou que vem almoçar aqui amanhã.

— Que bom, querida.

— Mas eu é que vou preparar o almoço.

— Não faço a menor objeção. O fogão é todo seu.

— Posso ligar pra mãe?

— Claro que sim.

Ana Maria foi até a sala onde se encontrava o telefone.

— Alô, mãe.

— Oi, fia! Vocês tão bão?

— Tudo bem, mãe. Tô tão contente...

— É, fia? Graças a Deus! O que aconteceu de tão bão?

— Eu e o Henrique fomos ao cinema.

— É, fia?

— A gente se beijou e estamos namorando.

— Fia do céu, ocêis não sabe como fico feliz! Eu rezo sempre pra ocêis dá certo. Fiz até novena. Nossa Senhora atendeu meu pedido, graças a Deus! Trata bem dele, fia? Eta rapaiz bão! Não vou nem contar pra ninguém. Sabe como é a inveja...

— Ah, mãe, não é assim.

— Mais é sim! Meu primero namorado perdi por causa da mardita inveja.

— A senhora nunca me contou isso, mãe — disse Aninha rindo.

— Mais não tô falando?

— Tá bom, mãe. Vou desligar. Dá um beijo nos meninos.

— Você esqueceu do Caio, fia?

— Ah, mãe, acho que nunca vou me esquecer dele.

— Reza, fia. Pede pra Santíssima Virge Maria que ela há de te atender.

— Eu rezo, mãe. Peço também pra ele ser feliz.

— Agora, com o Henrique, quem sabe você esquece ele de veiz.

— Sei lá, mãe. Vou desligar, viu?

— Ele vai aí amanhã, fia?

— Vem almoçar. Eu vou fazer o almoço. Tá bom, mãe?

— Cê capricha na comida. Tô pra ver home que resiste a uma comida gostosa.

— Tá certo, mãe, vou desligar.

— Fica com Deus, fia.

— Tchau, mãe, um beijo.

— Otro pra você, fia.

18

Henrique ajeitou sua vida. Acertou-se de vez com Ana Maria e marcaram a data do casamento, que aconteceria só para sacramentar a relação, porque, eles já estavam juntos havia seis meses, morando na casa de dois quartos, sala, cozinha e banheiro, nos fundos do quintal dos tios. Henrique e Cristiano se davam tão bem que pareciam pai e filho. Mas Ana Maria não queria que o filho chamasse Henrique de pai, e sim de tio Rique. Ele aprovava isso porque não se sentia à vontade para ser chamado de pai.

Aninha tinha voltado a estudar. Henrique estava cursando administração e fora promovido na empresa. Comprou um carrinho e a diversão preferida dos três, nos fins de semana, era ir ao campo visitar sítios e fazendas de conhecidos. Nos feriados prolongados aproveitavam para visitar a Fazenda Santa Luzia e matar a saudade. Numa dessas viagens, dona Cândida confidenciou à filha que nunca mais Caio voltara à fazenda e que dona Aurora também não mais falara a seu respeito. Parecia que haviam se esquecido dela de vez.

Assim Cristiano foi crescendo, experienciando a vida na cidade e no campo. A esperteza do menino surpreendia a todos. Com dois aninhos e meio era um serelepe, deixando muitas vezes sua mãe louca. Fazia perguntas pouco comuns para sua idade. Sempre que sua mãe o levava à igreja, o que mais o impressionava era o crucifixo enorme suspenso sobre o altar. Num domingo perguntou:

— É Zesuis, mamãe?

— É, filho.

— Po que matalam Zesuis?

— Ah, filho! Porque os homens eram maus.

— Que ele fez?

— Nada. Ele só fazia o bem. Curava os dodói das pessoas.

— Plegalam ele na cuiz?

— Sim.

— Po quê?

— Ele morreu por amor a nós.

— A mamãe viu ele?

— Não, filho. Faz muito tempo.

— Po que a polícia não plendeu eles?

— Não tinha polícia, filho. Foram os soldados que mataram Jesus.

— Po quê?

— Já disse. Porque eles eram maus.

— A mãe dele solô?

— Chorou muito. Quando crescer, você vai entender. Agora fica quietinho que a missa já vai começar. Olha lá o padre.

— Po que o pádi tem saia?

— Psiu!

Cristiano não aguentava ficar quieto o tempo todo junto da mãe. Então, ela pedia que Juliana ou Felipe o levasse para andar na praça. Só assim ela conseguia assistir à missa em paz.

Na tarde daquele domingo resolveram ir até o sítio de um amigo de Henrique que trabalhava na mesma empresa. Juliana e o namoradinho também foram com eles. Enquanto os adultos conversavam sentados no quiosque, o casalzinho saiu para dar uma voltinha por lá. Aninha pensava que Cristiano estivesse com Juliana e esta pensava que Cristiano estivesse com Aninha. Quando os dois se aproximaram do quiosque sem o menino, Ana Maria perguntou espantada:

— Ju, cadê o Cristiano?

— Não sei, Aninha. Pensei que estivesse com vocês.

— Pelo amor de Deus! Não está, não!

Foi um alvoroço. Cada um saiu para um lado para procurá-lo. Depois de uns dez minutos de aflição, Ana Maria o encontrou a uns duzentos metros da casa, sentadinho numa pedra, parecendo que conversava com alguém.

— Achei! — gritou. — Ele está aqui.

E correu ao seu encontro pegando-o no colo.

— Filho, não faz mais isso com a mamãe! Quase que a mamãe morre de susto!

— Mãe, o vô.

— Que vô?

— O vô. Ele é meu vô. Vem, vô!

— Que vô? Não tem ninguém aí.

— Foi embola, o vô foi embola.

Nesse instante os outros se aproximaram dos dois, aliviados.

No caminho de volta, preocupada, Ana Maria comentou com Henrique sobre o que Cristiano dissera. Henrique nem levou em consideração. Achou que era coisa de criança. Quando chegaram em casa, Ana Maria comentou o ocorrido com tia Laurentina, que se espantou:

— Menina! Outro dia também o vi lá fora como se estivesse conversando com alguém. Não dei importância, mas agora...

— Meu Deus! Precisamos prestar mais atenção nisso.

— É. Vamos ver se a situação se repete. Se acontecer de novo, você pergunta o que a pessoa falou e qual o nome dela.

— Fiquei assustada, tia. E eu acredito, porque também vi pessoas no parto dele. Lembra que lhe contei?

— Claro que me lembro.

— Não vou contar isso pra mãe, senão ela vai ficar preocupada imaginando coisas.

— É melhor mesmo. Vamos ver se acontece de novo. De repente passa.

19

Juliana não podia pegar os livros para estudar que Cristiano aparecia. Curioso, queria saber de tudo, fazendo milhões de perguntas. Quando ela queria estudar tranquila, precisava fechar a porta do quarto. Mas sempre que podia ela o ensinava. Ele já tinha aprendido a contar até trinta, o nome de muitas letras, de algumas capitais, e fazer umas continhas de somar. Era surpreendente como ele aprendia tudo com tamanha facilidade. Juliana se divertia muito com isso.

Cristiano só ficava quietinho quando folheava alguma revista ou algum livro. Por isso sua mãe os comprava aos montes. Porém, tinha um livro que ele preferia: uma bíblia ilustrada. E a história que mais olhava era a de Jesus.

— Zu, ó o nenê.

— É o Menino Jesus, fofo.

— Ele vai molê?

— Quando crescer, vai.

— Vão plegá ele?

— Vão pregar ele na cruz.

— O sodado vai plegá ele?

— Vai.

— O sodado é do mal?

— É muito malvado.

— Ó a mãe dele, o papai dele, a vaca...

— Cristiano, e esse quem é?

— É o lei.

— Acertou!

— O lei dá plesente pa ele?

— Dá. Esses dois também são reis. Cada um trouxe um presente pra ele.

— O lei vai plendê o sodado?

— Não.

— Po quê, Zu?

— Porque o rei vai embora. É de outro lugar.

— A mãe dele vai solá batante.

— A mãe dele é a Mamãe do Céu.

— Ela tá no céu?

— Tá.

— Po quê?

— Porque ela morreu e foi para o céu.

— Ela moleu?

— Morreu.

— Zesuis tá no céu?

— Também. Tá junto com a mamãe dele.

— Zesuis pegou o avião gandão e fooooooi pa casa da mãe dele.

— Quando você crescer, vai entender tudo, meu anjo. Vamos tomar o leitinho?

— O nenê tomou letinho?

— Tomou. Por isso ele ficou grandão.

No dia seguinte, enquanto Ana Maria ajudava tia Laurentina a preparar o almoço, estranhou o Skylab que não parava de latir.

— O que tem esse cachorro que não para de latir? — perguntou ela ao mesmo tempo que estranhava o silêncio de Cristiano. — Cris! Filho! Uai! Onde se meteu esse menino?

— Vai ver está lá fora brincando — arriscou tia Laurentina.

— Mas por que não responde?

Ana Maria olhou pela porta da cozinha e avistou Cristiano no fundo do quintal. De novo parecia que conversava com alguém.

— Tia, tia, corre ver. Repare como ele gesticula sozinho.

— Parece que está falando com alguém.

— Eu vou lá perguntar com quem ele está falando.

— Vai, vai.

Aninha chegou quieta perto do filho, esperando que ele a visse. Quando a viu, foi logo informando:

— Mãe, mãe, é o vô! Vô, vô? Cadê o vô, mãe?

Skylab tinha silenciado.

— Filho, como é o nome do seu vô?

— É o vô Telo. Vô Telo ama Quis, ama mamãe, ama tio Rique, ama titia...

— Telo? Que nome esquisito!

— Vô Telo vai votá?

— Acho que vai... Ele não disse que ia voltar?

— Vô Telo vai votá.

— Tá bom, filhinho. Agora vamos papá?

— Vô Telo vai papá?

— Acho que ele foi papá na casa dele.

Aninha entrou na cozinha invocada com aquilo.

— Tia, ele disse de novo que era o avô dele.

— Perguntou o nome?

— Disse que é o avô Telo.

— Telo?

— É. Telo.

— Meu Deus, Aninha!

— O que é, tia?

— Vô Tero. Ele troca o "erre" pelo "ele" e ainda não sabe dizer o nome inteiro. Tero de Antero.

— Minha Nossa Senhora! O paaaai?

— É seu pai que vem falar com o netinho.

— Credo! Olhe, estou arrepiada.

— Calma, filha!

Dirigindo-se ao filho, Ana perguntou:

— Filhinho, o que o vô Telo disse?

— Vô Telo ama Quis, ama mamãe...

— Tá bom, filho. O que mais ele falou?

— Pa mamãe lezá.

— Ah, já sei — comentou tia Laurentina —, ele quer que rezemos pra ele.

— Hoje mesmo vou falar com o padre e encomendar uma missa pro pai.

— Você vai contar ao padre que o Cris viu o avô? — perguntou a tia.

— Claro! Por que não?

— Não sei não, Aninha. Os padres não gostam muito que se toque nesses assuntos.

— Uai, por que não, tia?

— Porque eles dizem que os mortos não se comunicam com os vivos.

— Acho que depende do padre.

— Ih, se for o da nossa paróquia, o padre Leão, desista. É daqueles padres antigos. É muito radical.

— Então só vou encomendar a missa.

— Compre umas velas e peça pra benzer. Seria bom levar ao túmulo dele.

— Ah, eu peço pra mãe fazer isso. Mas nem vou tocar no assunto. Ela morre de medo dessas coisas.

20

A missa das nove daquele domingo foi em intenção à alma do seu Antero. Com o passar do tempo, Ana Maria encomendou mais missas, principalmente na data do aniversário dele e de seu falecimento, e recomendou a dona Cândida que fizesse o mesmo.

Na manhã de uma quinta-feira, exatamente na data de aniversário do pai, Ana Maria percebeu que a cena se repetia no quintal.

— Ai, meu Deus! De novo?

Como da outra vez, se aproximou devagarzinho. Quando Cristiano percebeu sua presença, foi logo dizendo:

— Mãe, o vô.

— Cadê o vô, filho?

— Ali. Ele tá lindo. A mãe não vê o vô?

— Rindo, filho? E o que ele diz?

— Bigado!

— O que mais?

— Vô vai embola. Vai demolá. Tchau, vô.

— O vô foi embora?

— Foi. Mãe, o vô Telo vai votá?

— Não sei. Ele disse que vai demorar, não disse?

— A mãe vai na casa do vô?

— Por enquanto não. Agora vem. Vamos tomar um banhinho que vou te levar na escolinha. Lá você vai ter muitos amiguinhos.

Cristiano fez uma festa danada.

Ana Maria tinha matriculado Cristiano numa escolinha. Logo no primeiro dia ele chamou a atenção de todo mundo, principalmente das professoras. Sabia mais que todos, era o mais esperto, arteiro, fazia perguntas difíceis de se responder. Após uma semana, a diretora da escola mandou um recado dizendo que queria falar com Ana Maria.

"O que será que a diretora quer falar comigo? Será que o Cris andou aprontando?", pensava Aninha, enquanto fazia o caminho em direção à escola com o filho. Deixou o menino com a professora e foi ter com a diretora.

— Bom dia, dona Esmeralda! Como vai a senhora?

— Bom dia, Ana Maria! Tudo bem, graças a Deus, e você?

— Tudo bem.

— Que gracinha seu filho, hein? Parabéns! É uma criança formidável.

— Ele andou aprontando alguma, diretora? Ele é meio sapeca.

— Ah, aprontou, sim. É normal, ainda mais pra uma criança como Cristiano. É plenamente compreensível.

— Ai, meu Deus! Como assim?

— Mas não foi pra repreendê-lo que a chamei.

— Não?

— Chamei você pra dizer que seu filho é uma criança muito além das outras da mesma idade.

— Que bom!

— É um pequeno gênio. Um menino prodígio, sabe?

— Nossa! Tudo isso? Estou assustada. E o que é que eu faço?

— Você precisa arrumar uma escola especial pra ele.

— Ele não vai mais poder frequentar esta?

— Até pode, mas em vez de ajudar, vai atrapalhar o desenvolvimento dele. Tem uma escola em Belo Horizonte que só trabalha com crianças assim.

— Mas deve ser muito cara.

— É bem mais cara que a nossa.

— Quanto?

— Pelo menos três vezes mais.

— Nossa! Não vamos poder de jeito nenhum — queixou-se Ana Maria.

— E se você arrumasse um emprego? Acho que vale a pena investir no seu filho o mais que puder.

— É uma boa ideia. Já estava mesmo pensando em arrumar um serviço. Vou falar com meu marido e enquanto isso Cristiano continua frequentando sua escola.

— Isso mesmo.

— Até logo, dona Esmeralda. Muito obrigada!

— De nada, querida. Até logo!

Ana Maria voltou pensativa para casa. Nunca imaginara na vida ser mãe de um gênio. Não sabia se isso a alegrava ou a assustava. Mas de uma coisa tinha certeza: estava muito orgulhosa. Como desejou que Caio tivesse aceitado o filho e agora dividisse tudo com ela!

Chegando em casa, mais que depressa correu contar tudo para a tia, que também ficou espantada.

— Acho que você faz muito bem em arrumar um emprego, Aninha. Vai fazer bem tanto ao Cris quanto a você.

— Tia, não sei como agradecer à senhora. Tem sido tão generosa com a gente...

— Não precisa agradecer nada, querida. A companhia de vocês é uma bênção pra nós. O Cristiano parece uma luz que entrou nesta casa.

— Semelhante atrai semelhante, não foi isso que a senhora uma vez disse que leu?

— É a pura verdade, filha.

Quando Henrique chegou à noite, foi logo informado de tudo. Admirou-se muito e concordou imediatamente que Aninha trabalhasse fora.

21

Não foi difícil para Henrique arrumar um trabalho para Aninha na mesma empresa em que trabalhava depois que falou sobre Cristiano aos diretores. Todos deram o maior apoio. Além disso, ficou acertado que a empresa arcaria com grande parte das despesas escolares do menino.

Em menos de um mês Cristiano já frequentava a nova escola. No início dissera para a mãe que não queria ir por causa dos amiguinhos que teria de deixar. Mas, como criança se adapta logo ao novo, foi muito fácil para ele arrumar novas amizades. Depois, pareceu gostar dos novos desafios. Da mesma forma que na primeira escola, em poucos dias ele se tornou a atração de todos. Até mesmo naquela escola especializada ele começou a se destacar. Aprendia tão fácil as coisas que os professores resolveram encaminhá-lo a uma turma mais avançada, com alunos de até doze anos.

Nessa época ele contava cinco anos. Já lia e escrevia correntemente, entendia bastante o inglês, sabia jogar xadrez, mas seu forte mesmo eram as ciências exatas. Gostava de frequentar a biblioteca para pesquisar assuntos ligados às ciências e à história geral, principalmente sobre o Egito e o tempo de Cristo. Já se tinha visto professor pedir orientação a ele. Como não podia deixar de ser, passou a ser notícia de jornais. Então, foi convidado a participar de diversos programas de entrevista na tevê.

Assim, nesse ambiente de estrelato e estudos intensivos, Cristiano passou seus primeiros anos da infância. Para Ana Maria ele era motivo de orgulho, mas a fama tinha seu preço, e se não fosse bem administrada poderia ser motivo de preocupações. Em vez de ajudar, poderia atrapalhar. Aí, então, já não valeria a pena. Por isso, seguindo orientações, Aninha não expôs tanto o filho nos anos que se seguiram e procurou fazer com que ele não se distanciasse do estilo de infância das outras crianças.

A essa altura, Aninha e Henrique tinham melhorado bastante suas condições financeiras e comprado uma bela casa na mesma rua da tia Laurentina. Não quiseram se distanciar de quem tanto lhes ajudara. Além disso, aquele era um bairro bem localizado, gostoso de morar, tranquilo, não muito longe do centro. E já tinham se familiarizado com a vizinhança e com os costumes locais.

***

Aos oito anos, Cristiano foi convidado a participar do programa *Quem Sabe Sobe*, e o tema que ele mesmo escolhera versava sobre a vida de Cristo, incluindo citações do evangelho.

Sábado à noite o bairro inteiro ficou de olho na TV, depois da novela, para ver seu ilustre representante. O programa seria ao vivo, em rede nacional, e tinha sido anunciado durante toda a semana. Consistia numa espécie de concurso, com três participantes, cada qual respondendo sobre um tema. As perguntas feitas pelo interlocutor eram dez, num total de três programas. Se após três programas houvesse pelo menos dois que continuassem acertando tudo, haveria um quarto, e assim por diante. Quem errasse uma única pergunta era desclassificado. Se os três fossem desclassificados, no programa seguinte entravam outros participantes. O prêmio para quem vencesse era um carro zerinho, o carro mais caro fabricado no Brasil. Os outros dois participantes eram uma estudante de literatura de Juiz de Fora, que iria falar sobre Shakespeare, e um aluno de medicina da USP, que iria responder sobre anatomia do corpo humano.

Uma hora antes do início do programa, Henrique e Ana Maria já estavam na antessala do auditório, praticamente lotado, com o menino todo produzidinho. Ele era a estrela do evento. Ele sabia que era diferente e adorava isso. Mas que criança não gosta de ver fluindo seu impulso básico da presença? Toda criança que tiver esse impulso básico bloqueado na infância terá uma vida adulta problemática. Para bloquear, bastam pequenas advertências por parte dos pais, tais como: "Pare de se exibir!" "Isso é feio!" "Isso não cai bem pra menina!" "É preciso ser mais humilde". Felizmente, hoje em dia, graças à televisão, essa prática danosa tem sido menos frequente que num passado não muito distante, quando era considerado pecado se exibir. Ao contrário, nota-se hoje que há até um incentivo por parte da família para que a criança desenvolva esse impulso natural.

"Quem tem seu impulso da presença manifestando-se espontaneamente não sofre de vazio interior, não se preocupa com as aparências, sabe muito bem o que quer, sabe até onde vão seus limites, é apaixonado pela vida, é espontâneo, independente, não se preocupa com a crítica, seja boa ou ruim. É dono de um carisma impressionante. Quem não se sente hipnotizado assistindo a uma peça representada pela Fernanda Montenegro ou, até recentemente, pelo Paulo Autran? Quem não se encanta com a simples presença no palco de Maria Bethânia?

Já a pessoa que tolhe o instinto da presença sente-se inútil, não gosta de apresentar-se com medo do ridículo. Segue a linha da normalidade, da discrição exagerada, é recatada, evitando o ambiente social. A submissão e servidão caem-lhe muito bem. Sente-se vazia, com uma vida entediada e sem graça. As consequências ruins são inevitáveis, tais como a falta de brilho, a vergonha, a inveja, o ciúme, a solidão, a tristeza e a depressão, desenvolvendo uma série de medos envolvendo a sociabilidade."[1]

E o programa, com o índice de audiência lá em cima, iniciou com o apresentador chamando os participantes. Não teve quem não risse ao ver a diferença de tamanho entre Cristiano e os outros dois. Os aplausos e assobios passaram de cem decibéis. Claro que a torcida era toda dele. O grau de curiosidade e ansiedade do telespectador chegava a mil, principalmente dos familiares e dos amigos do bairro de Cristiano. Será que ele iria dar conta? E se ele fracassasse?

Com os três a postos, o apresentador fez o sorteio para ver quem responderia primeiro. Seriam feitas as dez perguntas seguidas para o mesmo participante para que ele não perdesse a concentração, lembrando que, se errasse apenas uma, estaria desclassificado.

A estudante de Juiz de Fora foi sorteada para responder primeiro. Acertou todas as respostas, aumentando a responsabilidade dos demais. O estudante de medicina foi o segundo e, da mesma forma, acertou todas, aumentando o nervosismo de Ana Maria e de Henrique, que eram focalizados seguidamente pelas câmeras. Cristiano, contudo, não estava nem aí.

Em casa, assistindo ao programa, Caio se surpreende:

— Mãe! Mãe! Corre aqui!

— O que foi, meu filho?

---

1 Trecho do livro *Revelação da Luz e das Sombras*, de Luiz Gasparetto e Lúcio Morigi, publicado pela Editora Vida & Consciência.

— Olha a Aninha e o Henrique lá da fazenda. Estão no programa *Quem Sabe Sobe* — disse Caio aflito.

— É?

— Ah! Mudaram a imagem. Eu vi, mãe. Tenho certeza de que são eles. Olha que menino lindo, mãe. É aquele menino prodígio de Belo Horizonte de que falaram na televisão. Vai responder sobre a vida de Cristo.

— É mesmo? Quantos anos ele tem?

— Oito. Vou chamar o pai pra ver.

— Deixe, filho! Ele já deve estar dormindo.

No programa, o apresentador se dirigiu a Cristiano:

— Cristiano, quais os nomes das cidades onde os pais de Jesus moravam e onde ele nasceu?

— Nazaré e Belém.

— Está certa a resposta!

Aplausos. E assim foi até a nona pergunta.

— Cristiano, vamos pra décima e última pergunta. Como se chamavam os doze discípulos de Jesus?

— Pedro, João Evangelista, Mateus, Tiago, o Maior, Tiago, o Menor, Felipe, Tomé, Judas Tadeu, Bartolomeu, Judas Iscariotes, André e...

Todo mundo fez silêncio. Cristiano disse todos os nomes seguidos sem titubear, numa rapidez incrível e...

— Falta apenas um. Cristiano, você tem um minuto pra responder — insistiu o apresentador.

— e... e... e... e...

— Trinta segundos, Cristiano.

— e... e... e... e...

— Dez segundos, Cristiano.

— e... e... e... Simão.

— A resposta está e... e... e... exata!

O público delirou. Aninha e Henrique não aguentaram, saíram correndo até o palco para abraçá-lo. As câmeras não perdiam um só lance.

— Ana Maria e Henrique, como vocês estão se sentindo como pais de uma criança tão brilhante? — perguntou o apresentador.

Caio, em frente à televisão, disse tremendo:

— Mãe do céu! Olha lá. A Aninha e o Henrique são os pais do menino, mãe! Não acredito!

— Nossa, filho! É mesmo! Quem diria? A Aninha acabou se casando com o Henrique. Bem que eu disse pra dona Cândida que ali tinha. Veja como são as coisas, filho. Sempre digo que a vida é sábia. Olha que filho que tiveram. Mas... o que foi, filho? Você está chorando? Ah, querido! — disse dona Aurora afagando-o. — Deus sabe o que faz, meu amor. Era pra ser assim. Você ainda não esqueceu essa moça?

— Não, mãe!

— Ah, meu filho! Quem sabe agora, vendo a realidade, você se conforma e a esquece de vez.

— Não sei não, mãe. Acho que... que... só vai piorar!

— Não fala assim, meu filho. Entregue nas mãos de Deus. Agora vá dormir, meu bem.

Caio estava com vinte e seis anos e, apesar de namorar firme Paola, nunca se esquecera de Aninha. Ela tinha sido e sempre seria o grande amor de sua vida. Mas a emoção de Caio não continha apenas a paixão. Ele reparara muito bem nos traços físicos do menino, fez as contas e não teve dúvida de que era seu filho. "Aninha casou-se com Henrique apenas para contornar a situação", pensou. A culpa e o arrependimento bombardearam sua mente: "Por que não tive coragem suficiente de ir atrás dela e assumir meu filho? Hoje eu estaria com uma família feliz". Agora não adiantava mais. Detestava magoar as pessoas e, se ele revelasse esse segredo, certamente prejudicaria os envolvidos que, pelo jeito, estavam indo muito bem, principalmente o filho, que parecia bastante satisfeito e bem orientado.

No bairro houve um grande fuzuê com a chegada da família. Dezenas de pessoas se aglomeravam na rua em frente à casa deles. Tia Laurentina e sua família já os aguardavam no interior da casa. Quando desceram do carro, mal conseguiram passar. Era um tal de gritarem: "Viva Cristiano! Viva nosso gênio!". E um barulho infernal de rojões. Os pedidos aos gritos foram tantos que precisaram colocar Cristiano em cima do teto do carro. As freiras do Colégio Imaculada Conceição estavam todas presentes. A madre superiora era uma das mais eufóricas. Sua euforia só perdia para a do padre Leão, afinal de contas Cristiano e a vida de Jesus seriam, sem dúvida, o assunto dominante da semana e, quem sabe, por mais tempo em todo o país.

Quando, enfim, conseguiram adentrar a casa, foram calorosamente recebidos pela família de tia Laurentina, que os aguardava com um belo jantar. Claro que todos e principalmente Cristiano estavam surpresos com tudo o que estava acontecendo. Dona Cândida havia ligado pelo menos dez vezes depois que acabara o programa. Finalmente conseguiu falar com a filha.

— Mãe, a senhora viu?

— Eu quase passei mal, fia do céu! Minha pressão subiu tanto! Que coisa mais linda, minha fia! Aqui tá uma festa. Tem mais de trinta pessoa. Escuita a gritaria. Parece que o Brasil ganhou a Copa.

— Imagine se ele for o vencedor, mãe... Estou até com medo do que possa acontecer.

— Nem me diga, fia. Vou tomar um carmante antes do programa. E, se Jesus quiser, ele vai ganhar.

Se fosse por dona Cândida a conversa se estenderia por horas, mas Ana Maria precisou interrompê-la porque a esperavam para jantar.

22

Na segunda-feira, todos na escola só tinham olhos para Cristiano. Ele era assunto dos jornais do país. Repórteres se aglomeravam no portão de entrada a fim de conseguir uma entrevista, de preferência com o menino e também com o pai ou com a mãe. Até os professores foram assediados. Já na saída de casa, bem cedinho, foram abordados por alguns. Enfim, a vida de Cristiano e de seus pais deixou de ser normal. Henrique e Ana Maria se sentiam os pais mais orgulhosos do bairro, de Belo Horizonte, do Brasil, do mundo. Agora não tinha mais volta. Por ordem do diretor da escola, Cristiano ficaria livre para fazer o que preferisse naquela semana. Assim que os alunos entraram na sala de aula, ele se dirigiu à biblioteca e pôs-se a ler com afinco a história de Jesus. O que mais interessava para ele não era mostrar conhecimento, não era ser famoso. Ele nem sabia o que isso significava; ele apenas queria vencer como qualquer criança normal numa competição. E, se vencesse, ele ganharia um lindo carro.

— Oi, Cristiano!

— Oi, tio! Você é professor?

— Não. Você não me conhece, mas eu te conheço de muito tempo e garanto que vamos ser bons amigos.

— Mas eu também já vi você.

— Que bom, meu filho!

— Você conhece minha mãe?

— Conheço todo mundo de sua família.

— Como é seu nome?

— Todos me chamam de tio Barba.

— Você nunca cortou a barba?

— De vez em quando aparo.

— Você parece Jesus. Onde você mora?

— Não é muito longe daqui. Você não vai saber se localizar, mas um dia vou levar você pra ver minha casa.

— Lá tem criança?

— Muitas.

— Sua casa é bonita?

— Ainda não vi por aqui nenhuma tão linda como a minha. Preciso ir. Continue estudando. Estude esses assuntos aqui — disse-lhe indicando-os no livro.

— Tchau, tio Barba. Você vai voltar?

— Certamente que vou.

— Quando?

— A qualquer momento. Tchau, querido, e boa sorte!

Tio Barba saiu pela porta da biblioteca que ainda estava aberta. Cristiano correu a olhar, mas não o viu mais no comprido corredor.

— Nossa! Que tio rápido!

A escola de Cristiano era de período integral. Quando sua mãe passou à tarde para apanhá-lo, Cristiano foi logo dizendo:

— Mãe, o tio Barba veio me visitar.

— Tio Barba? Quem é?

— É o tio de barba comprida. Ele falou que me conhece desde que eu nasci e conhece toda nossa família. Ele parece com Jesus.

— Uai! Nunca ouvi falar desse tio Barba!

— Ele disse que um dia vai me levar pra ver a casa dele. Falou que lá tem muitas crianças e que não tem casa mais bonita que a dele.

— Olhe, filho... tome muito cuidado com pessoas sozinhas e estranhas, principalmente de uma certa idade.

— Por que, mãe? Ele é da escola. Faz tempo que eu conheço ele. É tão bonzinho. Ele tem barba comprida, mas não parece um velho. Pediu pra eu estudar só alguns assuntos da história de Jesus.

— Que estranho! Da próxima vez pergunta se ele tem mulher e como é o nome dela.

— Quem sabe você conhece a tia, né?

— Isso mesmo.

Após o jantar, Ana Maria conversou com tia Laurentina.

— Tia, você conhece algum tio Barba?

— Uai! Tio Barba? Não, por quê?

— O Cris disse que esse tio o visitou hoje na biblioteca da escola e pediu que ele estudasse só determinados assuntos da história de Jesus. Disse também que o conhece desde que nasceu e a toda nossa família.

— Quem poderia ser? Se ele aparecer de novo, pede pro Cris perguntar seu verdadeiro nome ou o nome da esposa dele. O Reinaldo e o Robinson é que não são. O Caio não tem nenhum irmão. Só se for meu irmão, o Eustáquio, mas ele foi pro Espírito Santo faz quinze anos e nunca mais deu notícias, e também nunca usou barba comprida. E os irmãos do seu pai?

— Ah! Não deve ser. Eles falam muito caipira e nem teriam por que entrar na biblioteca de uma escola tão especial. Além disso, moram muito longe de Belo Horizonte e passam a vida na roça.

— Ah! Já sei, Aninha. Não é nenhum tio nosso. Que bobagem! É que as crianças têm o costume de chamar qualquer adulto desconhecido de tio e tia.

— É isso mesmo. Mas por que ele disse que conhece todo mundo da família? Quem será, meu Deus?

— Querida, e se for o que estou pensando?

— Eu sei, tia. Nem precisa dizer. Já pensei nisso também. Acho que vamos precisar encomendar mais missas.

— Não. Desta vez, não. O caso é bem diferente. Tenho a impressão de que deve ser uma espécie de guia espiritual do menino. Ele consegue vê-lo e outras pessoas não.

— Por que não, tia?

— Às vezes, em condições muito especiais, como a sua no parto dele, mas depois nunca mais aconteceu, não é?

— É mesmo.

— Tenho lido muito sobre a clarividência. Seu filho deve ser clarividente. Clarividente é a pessoa que consegue enxergar com os olhos do corpo astral, por isso consegue ver o que está na frequência do astral.

— O que é astral?

— É o lugar pra onde vão os mortos. É um lugar praticamente igual à Terra, mas só que lá tudo vibra numa frequência que nossos olhos do corpo físico não conseguem captar. Corpo astral é o corpo de quem morre. É igualzinho ao corpo físico que fica apodrecendo aqui na terra, mas que vibra na frequência do astral. Muitos o chamam erroneamente de espírito. Espírito é outra coisa. É nosso elo com Deus.

— Nossa, tia! Onde você aprendeu tudo isso?

— Leio muito, minha filha. Sou uma curiosa desse assunto. Até já fiz cursos. Há muitos estudiosos do assunto aqui em Belo Horizonte.

— A senhora tem esses livros?

— Claro! Você nunca os viu na estante da sala?

— Já vi, porém nunca me interessei; mas agora vou começar a ler.

— Faz muito bem. Vai lhe esclarecer uma série de dúvidas.

— Então o Cris consegue ver com quatro olhos?

— Ah, sim. Os bebês, quando nascem, geralmente conseguem enxergar com os olhos astrais também. Mas, à medida que os olhos físicos vão se desenvolvendo, os olhos astrais vão se retraindo, até se retraírem por completo lá pelos seis ou sete anos.

— Como a moleira do bebê, que vai fechando aos poucos?

— Isso mesmo. Mas, em determinadas pessoas, esses olhos continuam funcionando normalmente. São os clarividentes.

— E se a pessoa tiver medo e não quiser ver?

— Não tem jeito. O que se tem que fazer nesses casos é explicar pra pessoa que aquilo é natural e que, se ela souber explorar, a clarividência vira uma bênção na vida dela.

— Então precisamos conversar com o Cris.

— Calma! Ainda é cedo. Por enquanto não o está prejudicando em nada. Ao contrário, ele está até gostando. Vamos deixar pra ver como evolui e observar se ele vai continuar clarividente. Se isso acontecer, quando estiver mais crescidinho a gente explica e dá livros pra ele ler a respeito. Inteligente como é, garanto que ele vai fazer muito bom uso desse dom divino.

— Tia, que bom que a senhora conhece o assunto!

— São tão comuns as provas da existência dos olhos astrais responsáveis pela clarividência...

— Como assim?

— Pergunte a qualquer pessoa que acompanhou alguém no leito de morte, cujo corpo físico foi perdendo a energia e a vitalidade gradativamente, ou seja, foi definhando, como um idoso, por exemplo, se não ouviu o doente dizer que viu algum parente ou conhecido morto nos pés da cama?

— É mesmo! A mãe conta que a vó dizia o tempo todo que o vô estava no quarto dela. Ela não se impressionava porque dizia que a vó estava variando.

— Variando nada, minha filha. Eram os olhos físicos que se fechavam à medida que o corpo definhava, surgindo novamente os olhos astrais, novinhos em folha, fechados lá na infância, porque voltavam a ter utilidade.

— Como tudo isso é interessante!

— Muito interessante e muito bonito. É a sabedoria divina. Deus, antes de tudo, é um cientista infinitamente sábio.

23

No segundo programa, Cristiano se deu ainda melhor e a repercussão nacional foi maior. Para o espanto da mãe, as perguntas versaram sobre os assuntos que o filho estudara por indicação do tio Barba. O aluno de medicina errou ao responder a sétima questão, que tratava do sistema sanguíneo, e foi desclassificado. Camila, a aluna de literatura, foi a última a participar e também conseguiu, de forma brilhante, responder as dez perguntas. Então, haveria pelo menos mais um programa, para o delírio dos proprietários da emissora de TV.

Durante a semana que antecedeu à possível final, da mesma forma Cristiano foi dispensado das aulas normais para poder estudar mais o assunto.

— Oi, Cristiano! Tudo bem?

— Oi, tio Barba! Você viu, tio? Você acertou o que o homem perguntou. Você é mágico?

— Mais ou menos.

— Se eu acertar tudo, vou ganhar um carro.

— Sei.

— Eu vou acertar?

— Não sei.

— Mas você não adivinha?

— Mesmo que eu soubesse não poderia dizer.

— Por quê? Eu não conto pra ninguém. Só pra minha mãe.

— Não é por isso.

— O que eu preciso estudar?

— Também não sei.

— Mas você falou da outra vez e acertou.

— Desta vez eu não sei.

— Você não disse que é mágico?

— Disse: mais ou menos. Agora preciso ir.

— Tio Barba?

— Fale, querido.

— Minha mãe mandou perguntar como se chama a tia?

— Que tia?

— A sua mulher.

— Diz pra ela que não sou casado.

— Mas você disse que tinha muitos filhos.

— Não. Eu disse que na minha casa têm muitas crianças.

— Quem são o pai e a mãe delas?

— São de diversos amigos. Eles deixam seus filhos passearem lá em casa porque é um lugar lindo e divertido.

— O tio vai me levar lá?

— Claro! Um dia você vai. Agora preciso ir, tá? Tchau, Cris, e boa sorte!

— Quando o tio vai voltar?

— Qualquer hora.

Como da outra vez, tão logo tio Barba deixou a biblioteca, Cristiano correu em direção à porta e olhou pelo corredor, mas já não viu ninguém. Assim que encontrou sua mãe na porta da escola, foi dizendo:

— Mãe, o tio Barba apareceu de novo.

— Que bom, Cris! E aí?

— Mãe, ele é tão rápido! Quando chego na porta pra ver, ele já sumiu no corredor.

— Nossa! É rápido mesmo. Deve ser um atleta.

— Não, mãe. Ele falou que é um mágico mais ou menos.

— Disse o que é pra você estudar?

— Não.

— Você não perguntou?

— Perguntei, mas ele disse que não sabia.

— Uai! Da outra vez ele acertou tudo. Por que será?

— Ah, ele disse que não é casado.

— Isso não tem importância. O que importa é que ele é muito seu amigo e quer te ajudar.

— Mas hoje ele não quis me ajudar.

— Ajudou, sim. Você é que não sabe.

Devido às repercussões em todo o país, a emissora decidiu que o terceiro programa seria transmitido de sua central no Rio de Janeiro. A todos com quem conversava, Cristiano dizia que ia andar de avião. Esse avião foi o assunto da semana.

Na sexta-feira pela manhã, a equipe da emissora foi até a casa de Cristiano apanhá-lo juntamente com Ana Maria e Henrique para levá-los ao aeroporto. Cristiano estava eufórico. Não via a hora de subir no bendito avião. Todos os vizinhos saíram à rua para lhe desejar boa sorte.

— Tia Laurentina, pede pro Felipe dar comida pro Skylab e regar as plantas que a gente deve voltar só domingo à tarde.

— Pode deixar, querida. Vão com Deus. Boa sorte, meu anjo! — desejou a tia, beijando o menino.

— Tia, fala pro Felipe não deixar o portão aberto que o Skylab vai pra rua e os outros cachorros avançam nele.

— Tá bom, querido. Eu falo.

O assédio no aeroporto foi enorme, principalmente das crianças. Os pais pediam aos filhos para falarem com Cristiano e pedirem autógrafo. Mas ele só queria saber de olhar para o avião, que estava aguardando o embarque dos passageiros.

Henrique e Ana Maria também estavam voando pela primeira vez. O casal não aproveitava tanto porque estava tenso, mas o encantamento de Cristiano era visível em seus olhos.

De pé, à janela, observava o céu azul e as nuvens brancas suspensas no ar feito plumas de algodão, dizendo o tempo todo:

— Mãe, olha aquela nuvem! Olha a montanha! Olha o rio!

Porém, jamais alguém saberia o que se passara na mente do menino quando Ana Maria mostrou-lhe o Cristo Redentor tão próximo do avião, as praias lá embaixo e o infinito mar azul à frente. Ele parecia nem piscar e não disse mais uma palavra até o pouso da aeronave.

— Mãe, Jesus é grande, né?

— Viu que lindo? Eles vão levar a gente hoje à tarde pra ver ele de pertinho. Vamos ver tanta coisa bonita. Vão levar a gente pra conhecer o Rio de Janeiro.

— Oba! Nós vamos no mar?

— Claro. Aonde você quiser ir eles vão te levar.

Cristiano foi tratado como um superstar no Rio de Janeiro. Precisou de um sistema de segurança especial. Por onde andava aglomeravam-se pessoas se empurrando para poder vê-lo.

Era noite de sábado. A frequência dos bares, restaurantes e casas de espetáculos era mínima. Só os estrangeiros compareciam. Ninguém queria sair de casa antes do término do programa. Convidados não compareceram a casamentos. Um padre chegou a alterar o horário da missa. A Avenida Brasil estava deserta. O jogo do Maracanã teve recorde negativo de renda e um jogador simulou contusão para ser dispensado antes do jogo. As ruas estavam praticamente desertas. Tais fatos se repetiam por todo o país. Os caminhoneiros aguardavam em postos onde havia aparelhos de TV antes de seguir viagem. No dia seguinte as estatísticas apontaram que durante o programa não foi registrada uma ocorrência policial sequer em todas as capitais, não em virtude da ausência da polícia, mas dos infratores.

A frente do teatro, que estava lotado havia duas horas, encontrava-se intransitável. Todos aguardavam a chegada do pequeno astro. Por questões de segurança, Cristiano e seus pais tiveram que entrar pela porta dos fundos.

A entrada no palco dos dois participantes do *Quem Sabe Sobe* foi anunciada com solenidade pelo apresentador, com a orquestra tocando *Pompa e circunstância*, de Elgar. Ao mesmo tempo em que eram ovacionados, havia muito choro na plateia. O garoto tinha um carisma impressionante. Dali para a frente seriam momentos de pura tensão e suspense. Cada palavra do apresentador, cada gesto dos concorrentes, cada detalhe, principalmente da figura de Cristiano, não passariam imunes.

Na paróquia do bairro de Cristiano, o padre Leão colocara uma televisão no salão paroquial e cobrara ingresso para angariar fundos para a reforma da igreja. Só os religiosos, crianças até cinco anos e pessoas acima de sessenta e cinco anos não pagavam. As freiras foram em peso para lá e tomaram toda a primeira fileira de cadeiras. Foi um sucesso total. Não havia cadeiras para tanta gente. Por isso, o número de pessoas sentadas no chão era muito superior ao de sentadas em cadeiras. Muitas pessoas ficaram de fora, mas como tinham pagado a entrada puderam assistir pelas janelas.

O sorteio da ordem de apresentação foi feito. Camila deveria responder primeiro. Embora praticamente todos os olhares e torcidas fossem para Cristiano, a garota também era muito querida. Seu conhecimento da matéria, sua simpatia e simplicidade cativaram muitos telespectadores. As pessoas não torciam para ela ser desclassificada, mas queriam que o vencedor fosse Cristiano. Camila estava tensa, enquanto Cristiano parecia se divertir como se estivesse no parquinho da escola.

Camila respondeu com desenvoltura as sete primeiras questões, sendo muito aplaudida.

— Camila, vamos à oitava pergunta: De quais obras de Shakespeare são os personagens Titânia, Petruquio, Regane e Capúcio?

— *Sonho de uma noite de verão*, *A megera domada*, *Rei Lear* e...

— Você tem um minuto pra responder, Camila.

— E...

— Se preferir, você pode pular e voltar no final.

— Pulo.

As outras duas perguntas foram respondidas corretamente. Só faltava Camila responder, em um minuto, de qual obra de Shakespeare era o personagem Capúcio. Ela estava em dúvida entre duas obras: *Henrique Quinto* e *Henrique Oitavo*.

— Camila, Capúcio é personagem de que obra de Shakespeare? Um minuto pra resposta.

— ...

— Quarenta segundos.

— ...

— Trinta segundos, Camila.

— ...

— Quinze segundos.

— ...

— Cinco segundos.

— ... Henrique... Quinto.

Suspense total.

— A resposta correta é... Henrique... Henrique... Henrique Oitavo!

Nesse momento, ouviu-se do público presente e provavelmente de todos os telespectadores:

— Aaaaaah!

Camila chorou. Cristiano foi até ela, abraçando-a. A plateia aplaudiu de pé e houve uma comoção geral.

— Vamos para um rápido intervalo comercial e voltamos a seguir cooooom Cristiaaano!

No auditório estava um falatório danado, um zum-zum, uma agitação. Cristiano deixou o palco correndo e foi ter com a mãe e Henrique, que estavam na primeira fila. Os que estavam próximos começaram a se agitar querendo falar com o menino. Ana Maria percebeu e pediu que Cristiano voltasse ao palco. O intervalo teve vinte e cinco minutos de propaganda.

Caio e dona Aurora não arredavam o pé de frente da televisão.

— Esse menino é muito lindo! — comentou dona Aurora. — Engraçado! Ele não parece com a Aninha nem tem nada do Henrique.

Caio gelou. Sentiu um impulso forte de gritar: "É meu filho, mãe! Não está vendo que ele é a minha cara?". Mas ficou com o grito preso na garganta e pôs-se a chorar. Perguntava-se por que Aninha mentira. As coisas poderiam ter sido tão diferentes... Dona Aurora percebeu seu estado.

— Tire essa mulher da cabeça, filho. Isso só o prejudica. Não vê que não adianta. Aceite a realidade e pronto.

Cada resposta certa de Cristiano eram minutos de aplausos e assobios. Uma só que ele errasse, não haveria vencedor e no programa seguinte entrariam três novos candidatos. Para frustração geral, Cristiano pulou a quinta pergunta. Foi como um balde de água fria na plateia. A sexta, a sétima, a oitava e a nona ele acertou, mas teve momentos de dúvida.

— Cristiano, vamos pra décima pergunta. Você está pronto?

— Tô.

— Como se chamavam os três reis magos e o que deram de presente para o Menino Jesus?

— Baltasar, Belchior e Gaspar. Eles levaram pro Menino Jesus ouro, incenso e mirra.

— A resposta está e...xata!

Sempre depois de uma resposta certa, o apresentador do programa fazia uma série de perguntas a Cristiano sobre sua vida, seus amigos, seus gostos, sua viagem ao Rio. Assim, mantinha a atenção dos telespectadores prolongando a audiência, que devia estar beirando os cem por cento.

— Falta apenas uma pergunta, Cristiano, pra você levar este carrão.

Cristiano apenas ria. Olhava para a mãe e ria. Numa dessas olhadas, de repente ficou sério e depois abriu um sorriso maior ainda. Viu o tio Barba ao lado da mãe. Então gritou:

— Mãe, o tio Barba!

— Psiu, filho!

— O tio Barba, mãe! Aí do seu lado! Oi, tio Barba!

Tio Barba acenou para Cristiano sorrindo, enquanto o apresentador perguntava:

— Quem é o tio Barba, Cristiano?

— É ele — respondeu, apontando com o dedo na direção da mãe. — Fala pra ele, tio Barba.

Tio Barba fez um gesto com o dedo dizendo não e depois pôs o indicador na boca fechada como dizendo que ia ficar calado. As câmeras se voltaram para Ana Maria, mas não conseguiram captar nada. Ficou um clima de mistério e suspense no ar. O apresentador não entendeu o que estava acontecendo, titubeou sem saber o que falar e achou melhor dar continuidade ao programa.

— Cristiano, está pronto pra última pergunta?

— Tô.

— Então, vamos lá. Valendo este carro zero, Cristiano, um minuto pra resposta. O que o cego de Betsaida disse quando Jesus perguntou se ele estava vendo alguma coisa?

— Ele falou...

— Cinquenta segundos.

— Ele falou...

— Quarenta segundos, Cristiano.

— ...

— Trinta...

— ...

— Vinte...

Ana Maria e Henrique estavam uma pilha de nervos. Na plateia não se ouvia um mosquito. Nunca se roeu tanta unha no país. Cristiano olhou para a mãe e percebeu sua aflição. Viu tio Barba rindo e ele também riu.

— Sete... seis... cinco...

— Ele falou que... que... que... que...

— Ele falou o quê, Cristiano?

— Ele falou que... que... que... que... via as pessoas andando como árvores.

O silêncio era sepulcral.

— Eu acertei? — perguntou Cristiano ao apresentador, que mantinha o suspense.

— A resposta estááá... A resposta está EEEEEEE... XATA!

O teatro veio abaixo, o palco foi invadido e as câmeras mal conseguiam focalizar o vencedor.

Na paróquia do bairro, as pessoas fizeram um estardalhaço. As freiras subiram no palco e foi uma bagunça danada. A madre superiora chorou, pulou feito louca, abraçando o padre Leão, que fazia o mesmo. Até cerveja tomaram.

No dia seguinte, Cristiano foi recebido por uma multidão no aeroporto de Belo Horizonte e desfilou no caminhão do corpo de bombeiros pelas ruas da cidade. O policiamento também foi intenso na rua do bairro porque as pessoas não paravam de chegar. Aconselhados pela polícia, por questões de segurança, Ana Maria e Henrique decidiram passar o resto do dia e a noite num hotel da cidade, para frustração geral dos que aguardavam a chegada deles em casa.

24

Nos dias que se seguiram, o assédio ao menino foi tão grande que começou a causar transtornos, tanto para ele como para a família. Até a missa aos domingos começou a ficar tumultuada com sua presença. Tanto que Ana Maria resolveu não aceitar qualquer tipo de convite para dar entrevistas ou participar de programas de rádio ou televisão. Foi aconselhada pela psicóloga da escola a não expô-lo tanto, pelo menos por um tempo, afinal de contas não se tratava de um artista, mas de uma criança.

As notícias sobre o garoto prodígio e sua facilidade em lidar com o computador ultrapassaram as fronteiras, chamando a atenção de uma equipe de pesquisadores de uma escola norte-americana de ciências exatas. A escola localizava-se na Califórnia, mais propriamente em Los Angeles, e era mantida por uma multinacional com filiais no mundo inteiro, inclusive no Brasil. A escola enviou dois representantes para falar com o diretor da escola, com Cristiano e com seus pais, fazendo a seguinte proposta: Cristiano poderia ir no semestre seguinte estudar naquela escola, que atendia estudantes de todas as idades que possuíssem QI elevado, acompanhado dos pais, com todas as despesas de moradia pagas, um carro à sua disposição e duas viagens por ano ao Brasil. Além disso, Henrique teria emprego garantido na empresa mantenedora da escola.

Isso mexeu demais com a cabeça de Aninha e Henrique. Eles prometeram dar uma resposta em quinze dias. A proposta era realmente tentadora, mas o preço de deixar uma vida acomodada e encaminhada em Belo Horizonte também era bastante alto. Como ficariam suas famílias, principalmente sua mãe e a de Henrique? E a família da tia Laurentina? Enfrentar um país com costumes, língua, clima e comida diferentes não seria nada fácil. E os amigos? Teriam que formar novas amizades lá.

Enquanto Henrique tomava seu banho, Aninha conversou com tia Laurentina, que acabara de chegar.

— Tia, será que vou me acostumar em outro país?

— Só experimentando, minha filha. Quem não arrisca não sai do lugar. Só tem sucesso quem é ousado. Acho que vocês precisam pensar na grande oportunidade que Cristiano está tendo. Não só ele, mas vocês também. Vão aprender uma nova língua, conhecer lugares diferentes, adquirir uma nova cultura, sem falar do aspecto profissional.

— Isso é verdade. Mas eu nunca fiquei longe da família. Tenho medo de não me acostumar. E mamãe? E vocês? Vou sentir tanta saudade!

— Sua mãe vai acabar entendendo e aceitando. É para o bem de vocês. Ela tem a vida dela. Vocês são jovens. Meu Deus! Quantos não gostariam de estar na pele de vocês? E quem quer vencer na vida não pode ceder a sentimentalismos.

— É mesmo, tia. E depois, será muito bom para o Cris poder estudar no anonimato. Com o rumo que estão tomando as coisas por aqui, acho que o sucesso pode prejudicar seus estudos.

— E não precisa ser definitivo. Vão pra lá, fiquem um ano, se não se acostumarem, poderão voltar. Vocês têm sua casa aqui. Podem até alugá-la e ganhar um dinheiro a mais.

— Preciso convencer o Henrique. Ele é meio acomodado. Não aprovou muito a ideia.

— Explique tudo pra ele. Ele vai entender, tenho certeza.

Cristiano se aproximou delas e soltou:

— Mãe, eu quero ir pra Los Angeles! Lá tem a Disneylândia, tem mar, tem tanta coisa bonita. Eu já li, mãe. Tem Hollywood, onde eles fazem os filmes, e eu já sei falar inglês.

— Vamos ver, meu filho. Precisamos conversar com o tio Rique também.

Henrique juntou-se a eles.

— Tio Rique, a gente vai pra Los Angeles?

— Não sei, Cris. Eu e sua mãe precisamos conversar.

— Ah, tio! Eu já sei falar inglês. Lá eu explico tudo pra você e pra mamãe.

— Não é esse o problema. É uma mudança muito grande na nossa vida, querido. Precisamos ver com calma.

— O Skylab vai também?

— Acho que não, meu filho — interveio Aninha.

— Eu perguntei pro homem de Los Angeles e ele disse que posso levá-lo.

— Está bem. Depois a gente conversa sobre isso. Agora vamos jantar.

— Mãe, vou ficar com saudade da tia Laurentina, do tio Carlos, do Felipe, da Juliana, dos meus amigos e dos professores, do tio Barba... mas lá eu arrumo outros amigos, né?

— Claro, filho. Vem, vamos jantar.

À noite, na cama, Aninha e Henrique não conseguiam pegar no sono.

— Nem sei como contar tudo isso pra minha mãe — comentou Ana Maria.

— Espere por enquanto. Só vamos ligar pra eles se a gente decidir ir. Minha mãe também não vai gostar.

— Fazer o quê? Não podemos decidir nosso futuro em função deles.

— Eu sei. Não estou tão preocupado com eles, mas com a gente.

— Por quê, Rique?

— Para o Cristiano não tem problema. Criança se adapta fácil. Mas e nós?

— Uai! Se a gente não se acostumar, pode voltar.

— Aí vai ficar ruim pro Cris, que já vai estar acostumado com o estudo e com os novos amiguinhos. Eu não sei se vou me acostumar.

— Precisamos tentar, Rique. De repente podemos até nem querer mais voltar.

— Não sei. É muito estranha pra mim a ideia de morar fora do Brasil.

— A gente pode juntar dinheiro e depois montar um negócio aqui em Belo Horizonte. Podemos alugar nossa casa.

— Essa é a ideia que mais me anima. Vamos poupar praticamente todo o meu salário.

— Pois é. Acho que a saudade que vamos sentir daqui é pouca se comparada com os benefícios que vamos ter, principalmente o Cristiano. E você então, Rique? Com a experiência que adquirir lá, vai ser disputado pelas empresas daqui.

— Já pensei nisso tudo.

E assim ficaram horas conversando. Aninha, que antes não conseguia dormir por causa da dúvida, agora não conseguia devido à ansiedade, fazendo planos, pois, pelo que sentiu da conversa, Henrique praticamente concordara em ir.

25

Na Fazenda Santa Luzia, dona Cândida recebeu a família do doutor Vasconcelos, que foi passar o feriado lá. Dona Aurora e Izabelle tinham ido diversas vezes depois que Aninha foi para Belo Horizonte, mas pouco conversavam sobre ela. Mas dessa vez foi diferente. Tendo-a reconhecido na televisão, dona Aurora quis falar dela e do filho prodígio. Izabelle tinha se tornado uma bela moça e andava de rabicho com Reinaldo, que já estava com seus dezenove anos. Várias vezes ela fora à fazenda com o pai só para se encontrar com ele. Caio, por sua vez, nunca mais voltara. Achava que iria sofrer muito relembrando os dias que passara com Aninha.

— Parabéns, dona Cândida! Que neto, hein?

— Tá vendo, dona Aurora? Quem diria, né? Pois eu sempre digo: nóis não sabe nada do amanhã. Deus é que sabe.

— Eles têm vindo visitar a senhora?

— Diversas veiz. Mais depois que o Cristiano ganhou na televisão ainda não viero. Aninha telefonou dizendo que já já vem pra cá. Eles precisa vir em segredo pra não provocar tumurto por causa do menino. A senhora sabe, né? Vorta e meia aparece um repórter por aqui querendo falar dele.

— Gostaria tanto de encontrá-la.

— Quem sabe um dia ocêis se encontra aqui.

— Quando ela disser que vem, a senhora me telefona, tá?

— Tá bem.

— Sabe, dona Cândida, o Caio não se esquece dela. Quando a viu na televisão, até chorou.

— Ele já casou?

— Ainda não. Está lá, namorando a mesma moça. Namorando não. Estão praticamente vivendo juntos. Ele dorme todo fim de semana na casa dela.

— Uai! Mais por que eles não casa de veiz?

— Por ela casariam. Meu filho é que não quer. Ele diz que tem dúvidas. Sabe, acho que ele espera encontrar uma moça e amá-la tanto quanto ama Aninha.

— Nunca vai achar. Sabe por quê?

— Por quê?

— Porque ele sempre vai pôr minha fia acima de quarquer otra. Então, nunca vai achar. Pode ser a princesa da Ingraterra que não adianta.

— É isso mesmo. Tenho tanta pena dele.

— Mais nessas coisa a gente não manda, né?

— É mesmo.

O telefone tocou e dona Cândida atendeu.

— Alô, fia?

— Oi, mãe.

— Você não morre mais, fia. Tava aqui falando de você com dona Aurora.

— Ela está aí?

— Tá aqui do lado.

— Ih, mãe! Não sei se quero falar com ela... — desabafou Aninha.

— Deixa eu falar com ela — anunciou dona Aurora.

— Fia, ela qué falar com ocê... — passando o telefone para dona Aurora.

— Oi, Aninha! Quanto tempo, hein?

— Oi, dona Aurora. Tudo bem com vocês?

— Está tudo bem, graças a Deus. Estou tão feliz de falar com você!

— Eu também...

— Parabéns pelo filho! Que bênção esse menino!

— Obrigada, dona Aurora. Ele é a luz da minha vida. Agradeço a Deus todo dia por isso.

— Eu e o Caio não perdemos um programa. A gente torceu tanto por ele...

— É mesmo? E como está o Caio? — perguntou Aninha com voz insegura.

— Está bem — respondeu dona Aurora, sem entrar em detalhes.

— Manda um abraço pra ele.

— Mando, sim.

Ana Maria teve que fazer um esforço tremendo para não fazer perguntas mais íntimas sobre Caio. Ao mesmo tempo em que sentia culpa por guardar o segredo, sentia também pena deles por não estarem curtindo o menino como ela estava. Se na época já tinha sido difícil revelar, como passar do tempo a dificuldade só foi aumentando. No fundo, Ana Maria sabia que cedo ou tarde o segredo iria ser revelado, e o medo de que isso acontecesse a acompanhava o tempo todo. Cristiano já perguntara duas vezes quem era o seu pai. Ela respondera-lhe que era um namorado que tivera e que fora embora para São Paulo sem nunca mais voltar. Esse também foi um motivo que os fizera decidir ir para os Estados Unidos.

Dona Cândida pegou o telefone de volta, mas Ana Maria evitou falar dos dois, para dona Cândida não ter que responder na frente de dona Aurora.

— Mãe, estou telefonando pra dar uma notícia maravilhosa, mas não sei se a senhora vai gostar.

— Se é maraviosa, como não vou gostar?

— É que nós vamos pros Estados Unidos.

— Óia só, fia! Ocêis vão passiar no estrangero?

— Mãe, não é bem passear.

— Uai! Vão fazer o que então?

— Nós vamos morar lá.

— Não diga uma coisa dessa, fia. Ocêis vão morar no estrangero?

— É por causa do Cristiano.

Aninha contou para a mãe sobre a proposta dos americanos. Dona Cândida começou a chorar.

— Fia do céu! Lá não tem guerra, não?

— Não, mãe.

— Não tem terremoto, furacão, essas coisa, fia?

— Calma, mãe! Não precisa chorar. Não tem, não — mentiu Aninha para não deixar a mãe mais aflita —, vamos vir duas vezes por ano pro Brasil e, se não acostumarmos, poderemos voltar de vez.

— Ah, minha fia! Você fala isso só pra me consolar. Depois que o Cristiano se acostumar, ocêis nunca mais vorta. Ai, minha Santa Mãe! Meu neto vai crescer sem eu vê.

— Para, mãe!! Ele pode ficar com a senhora nas férias. Não vai ser muito diferente do que agora.

— Sabe lá que distância, Santo Deus!

— Mãe, vou desligar.

— Fia, ocêis pensaro bem? Não é bão pensar mió antes de dar a resposta?

— Eu e o Henrique já decidimos, mãe. Na semana que vem vamos dar a resposta. Mãe, vou desligar. Um beijo. Manda um beijo pros meninos.

— Quando que ocêis vêm pra cá?

— Ainda não sei. Talvez daqui a um mês. Deixa a poeira baixar um pouco. Tchau, mãe.

— Não demora, minha fia. Ando com umas dor nas costa.

— A senhora está tomando os remédios direitinho?

— Tô, fia. Mais às veiz não faiz efeito.

— Se a dor aumentar, pede ao Reinaldo pra levar a senhora ao médico.

— Tá bão, fia.

— Tchau, mãe. Um beijo.

— Não demora, viu, fia? Tchau. Fica com Deus — disse dona Cândida desligando o telefone.

— O que foi, dona Cândida? — perguntou dona Aurora.

— Minha fia vai morar no estrangero, mulher de Deus! — respondeu dona Cândida chorando.

— Onde?

— Ela falou o nome, mais nem prestei atenção. Com essas guerra acontecendo, Santo Deus!

— Mas eles vão fazer o que no estrangeiro?

— É por causa do Cristiano. Diz que é pra ele estudar.

— Então fica tranquila que deve ser num país bom, senão eles não iriam.

— Ela falou que é muito bão lá, mais não acredito. Não tem país melhor no mundo que o Brasil. O que vão fazer no estrangero que só se escuita falar de guerra e de terremoto, Maria Santíssima?

Dona Cândida não se alimentou direito naquele dia, e se antes ela já tinha dificuldade de pegar no sono, com a notícia ela não conseguia dormir mesmo. Tanto chorava que Reinaldo e Robinson tiveram que ir com ela para Belo Horizonte no fim de semana seguinte.

26

Com despedidas doloridas e muito choro, lá se foram os três morar na Califórnia. Skylab ficou com a tia Laurentina, que o levaria para a Fazenda Santa Luzia. A notícia da partida deles vazou e os jornais e a televisão divulgaram a mudança da família. Felizmente não revelaram o endereço, apenas informando que eles tinham ido morar em Los Angeles.

A casa ajardinada e sem muros era muito confortável, ampla e bonita, dessas que se via com frequência em filmes americanos. Sua cor era verde-água, com janelas e portas brancas. Localizava-se num condomínio no subúrbio de Los Angeles, com ruas planas e largas, flores e muito verde. Eles já tinham visto no Brasil fotos do local, mas não esperavam que fosse tão lindo e aprazível. Quando se está num lugar, o cheiro, a luminosidade, a topografia, o lado do sol, os ângulos dizem coisas que uma foto não consegue mostrar por mais perfeita que seja, e nem mesmo um filme. Eles adoraram o lugar. Quem mais gostou foi Cristiano, que podia andar de skate à vontade, sua diversão preferida. Era o início do verão no hemisfério norte, por isso não estranharam o clima.

Como era esperado, o começo foi muito difícil, principalmente para Henrique, que mal sabia falar inglês. Cristiano foi uma mão na roda, principalmente para a mãe, que não saía sem ele. No começo Cristiano não entendia muito bem o inglês que falavam, porque na escola não aprendera as gírias dos californianos, mas rapidamente se adaptou.

Poucos dias bastaram para que Cristiano, da mesma forma que no Brasil, cativasse toda a escola com sua inteligência, sabedoria, criatividade, beleza, energia, carisma e charme. Ali, um fator a mais contribuía para o seu sucesso: seu sotaque brasileiro. Nos intervalos das aulas sempre se formava um grupinho de crianças e até de adultos ao seu redor. Todos queriam vê-lo e ouvi-lo. Assim, foi muito fácil para Cristiano fazer novas amizades.

Num domingo de manhã, após voltarem da missa, enquanto Ana Maria lidava com o almoço e Henrique assistia à televisão, Cristiano brincava com sua motinha no quintal.

— Bom dia, Cristiano.

— Tio Barba? Você também veio? Como você entrou? A mãe não viu você? — perguntou o menino com os olhos brilhando de alegria. — Vou chamar a mãe.

— Ainda não, querido. Precisamos ter uma conversa primeiro.

— Mamãe vai ficar contente.

— Eu sei, mas espere um pouco. Sabe, Cris, agora você está mais grandinho, já entende certas coisas, então vou falar mais de mim. Eu não moro no mesmo mundo de vocês.

— Uai! Você é um ET?

— Não, sou uma pessoa como você, mas moro em outro plano. O plano das pessoas que morrem.

— Você é um fantasma?

— Sou, já que pra muitos as pessoas que morrem viram fantasmas. Está vendo? Tenho corpo como você. Não sou de fumaça. Sou tão real quanto você. E você não está com medo, está?

— Não. Eu gosto de você.

— Pois então. Todos os seres vivos têm um corpo igualzinho ao corpo físico que se chama corpo astral. Cada célula, cada átomo do corpo físico têm seus correspondentes no corpo astral. Só que a gente não está na mesma frequência energética de vocês.

— Você está no céu?

— Não. O céu que vocês imaginam não existe. Lá é um mundo igual ao de vocês, só que tudo vibra em outra frequência.

— Que frequência?

— Vou dar um exemplo pra você entender melhor. Você percebeu que a gente nunca se cumprimentou com a mão? Que a gente nunca se tocou?

— É mesmo, tio.

— Pois é. Agora me dê um abraço.

Cristiano se levantou e abraçou fortemente tio Barba.

— Nossa, tio! Eu não sinto você. Meu braço passa direto por você.

— Aperte minha mão.

— Também não sinto nada.

— É que as frequências são diferentes. Se você estivesse no meu plano, a gente se abraçaria e um sentiria o outro normalmente como vocês aqui porque estaríamos na mesma frequência. Quer ver mais?

— Quero, quero — disse Cristiano entusiasmado.

— Observe.

Tio Barba foi em direção ao carro e entrou nele sem abrir a porta. Cristiano riu tão alto que se ouvia de longe. Depois tio Barba saiu do carro e atravessou paredes para a admiração e vibração do menino.

— Parece mágica. Vou contar pros meus amigos. Eles não vão acreditar.

— Mas é mágica. Tudo na vida é magia. Não sei se é bom você contar para os seus amigos. Eles não vão entender nada e podem até zombar de você. E, mesmo que estivessem aqui, eles não me enxergariam e nem me ouviriam.

— Por quê?

— Porque não são clarividentes nem clariaudientes como você.

— O que é isso?

— Clarividente é a pessoa que vê com os olhos do corpo astral, e clariaudiente é a pessoa que ouve com os ouvidos do corpo astral. Os olhos e ouvidos que vão utilizar depois que forem para o meu mundo. Muito poucas pessoas são clarividentes ou clariaudientes. É como se você tivesse quatro olhos e quatro ouvidos.

— Minha mãe não vê você?

— Não me vê nem me ouve.

— Muitos animais são clarividentes. O Skylab, por exemplo, me via. Lembra como ele latia quando eu ia à sua casa em Belo Horizonte?

— É mesmo.

— Sua mãe tem um livro que explica tudo isso. Pede pra ela.

— Vou contar pra ela. Posso?

— Pra ela pode. Ela já sabe de tudo. Agora preciso ir.

— Quando você volta?

— A qualquer momento. Tchau! — disse tio Barba, desaparecendo subitamente.

Cristiano correu ao encontro da mãe.

— Mãe, o tio Barba tava falando comigo lá fora. Ele disse que já morreu, que sou clarividente e que você não vê ele.

— É, filho? O tio Barba? Que ótimo! A mãe já sabia que você é clarividente.

— Ele disse também que você tem um livro que explica tudo. Cadê, mãe?

— Está lá na estante. Pode pegar. O título é *Desenvolva sua clarividência.*

Ana Maria ficou estupefata com a exatidão dos fatos. Chamou Henrique e contou tudo para ele. Agora tinha prova cabal da clarividência do filho e da existência de vida após a morte. Henrique, que não ligava muito para essas coisas, também ficou boquiaberto e passou a se interessar pelo assunto. Cristiano pegou o livro e imediatamente começou a ler. Só o interrompeu quando sua mãe o chamou para almoçar. À tarde, Ana Maria ligou para tia Laurentina contando tudo.

27

Após quatro anos na Califórnia, a família já tinha se acostumado à rotina americana. Ana Maria e Cristiano haviam se adaptado muito bem ao país, mas Henrique ainda nutria a ideia de voltar para o Brasil. Com uma poupança razoável, volta e meia conversava com Aninha sobre a possibilidade de abrir um negócio em Belo Horizonte. Inclusive já tinham tido discussões acirradas a respeito. Aninha dizia que achava melhor ficar até Cristiano completar o curso superior. Toda vez que viajavam para o Brasil, Henrique voltava desgostoso para os Estados Unidos. Seu mau humor durava semanas. Dizia que seus pais estavam ficando velhos e que precisavam dele, que era filho único.

Na escola, Cristiano era disparado o aluno mais adiantado na área de informática e ciências exatas. Com doze anos já elaborava pequenos programas com certo grau de dificuldade. Tudo o que dizia respeito à computação ele queria saber. Comprava revistas especializadas aos montes e discutia os artigos com adultos.

Os encontros do tio Barba com Cristiano ficaram cada vez mais frequentes. Conforme o menino ia crescendo, os assuntos também evoluíam. Tio Barba procurava não forçar a mente de Cris, preferindo apenas esclarecer questões feitas por ele. As perguntas que antes se limitavam a satisfazer sua curiosidade no âmbito da história passaram a tratar de temas metafísicos e espirituais. Não obstante sua dedicação às áreas técnicas da escola, seu interesse pelos temas ligados à Bíblia, principalmente a Jesus, não diminuíra. Ao contrário, até aumentara, porque começava a entender seus ensinamentos.

Numa das viagens de férias, que sempre eram passadas quase que totalmente na Fazenda Santa Luzia, com exceção de Henrique, que ficava muito em Belo Horizonte, Cristiano acompanhou Robinson até a lagoa para pescar. Beirando a lagoa cercada de grama havia uma pequena árvore em cuja sombra Cristiano, que não gostava de pescar, sempre sentava ou deitava para dormir, olhar a paisagem, o céu e as nuvens. Gostava de observar as diversas tonalidades de verde que existiam no Brasil, e que não havia na Califórnia. Mas não era só por isso que ele gostava de ficar ali, mas porque na maioria das vezes tio Barba aparecia para conversar. Em diversas oportunidades ele fora sozinho até a lagoa, causando o estranhamento de sua mãe. É que os encontros foram ficando tão frequentes que Cristiano nem contava mais para ela. Além disso, tinham feito um acordo para não tocar nesse assunto quando estivessem na fazenda. Preferiam manter segredo diante de dona Cândida.

Enquanto Robinson pescava do outro lado da lagoa, Cristiano olhava para uma nuvem que parecia um cão. Começou a pensar no tio Barba.

— Oi, Cristiano, me chamou?

— Oi, tio Barba. Tava pensando em você.

— Eu sei. Por isso eu vim.

— Você adivinha meus pensamentos?

— Se eu quiser, até posso. Mas não interfiro nos pensamentos dos outros.

— E como você soube?

— Por telepatia. No astral a maioria das conversas é por telepatia. Não precisamos da voz. A telepatia se dá por um tipo de onda que os cientistas daqui ainda não descobriram.

— Que engraçado! Lá tem cientista?

— É o que mais tem. Primeiro as coisas acontecem no astral e depois no seu mundo. Nosso computador está décadas à frente do de vocês.

— Verdade?

— Isso que vocês têm aqui, no meu mundo é considerado ferro-velho. Basta colocar a mão e ele já mostra tudo. O meu, por exemplo, controlo com o pensamento.

— E um dia vai ser assim aqui também?

— Claro. Tudo que vocês têm é cópia do astral.

— Ah, eu queria saber como é. Eu adoro computador.

— A gente falava de telepatia. Com você mesmo, diversas vezes quando era mais novo, conversei por telepatia.

— Mas eu sempre falei.

— Falou, mas não precisava. Eu respondia só com o pensamento e você achava que eu estava falando. Vamos fazer isso agora?

— Oba!

— Pense numa pergunta que você quer me fazer.

Cristiano se concentrou e pensou:

— *Como você vem até aqui*?

Tio Barba apenas olhou nos olhos dele:

— *Me concentro, penso no lugar e apareço. Às vezes venho volitando.*

— *O que é volitando*?

— *É como voar.*

— *É gostoso voar, tio? Eu queria tanto saber voar como os passarinhos...*

— *Um dia você vai saber.*

— *Quando?*

— *Quando estiver no meu mundo.*

Cristiano achou a experiência um barato e disse utilizando a voz:

— Que legal, tio! Agora a gente pode falar só pelo pensamento. Não precisa mais ficar longe das pessoas, né?

— Por isso lhe ensinei.

— Tio Barba, eu tenho que rezar bastante e sofrer pra ir pro céu depois que morrer?

— Por que você me pergunta isso?

— Porque a vó vive rezando e sofrendo. A mãe falou que depois que ela morrer vai direto pro céu.

— Já falei pra você que o céu não é como vocês aprenderam, lembra?

— Lembro.

— O céu, ou o paraíso, existe. E é descoberto dentro de cada um aos pouquinhos, aqui no seu mundo e depois no meu. É com as experiências do dia a dia que se chega lá.

— Depois que a gente morre também?

— Claro! Não precisa morrer para alcançar o céu. Depois que a pessoa morre não vai encontrar anjinhos, Jesus, Deus ou o diabo. Vai encontrar um mundo como este daqui, só que em outra frequência, lembra?

— Ah, sim.

— Se a pessoa sofria aqui, continuará sofrendo lá. Se era feliz aqui, continuará a ser feliz lá. Se estudava aqui, continuará estudando lá. Não muda nada.

— Até quando?

— Até ela aprender. Toda dor vem da ignorância, mas ao mesmo tempo também é um estímulo pra pessoa sair da ignorância. A dor não é vista pelos planos superiores como um castigo, mas como um estímulo. Quando a pessoa aprende, não só na cabeça, mas também na prática, a dor naquela área de sua vida deixa de existir. Quando digo aprender, estou me referindo às leis da vida. É um aprendizado interior e não intelectual, porque há muitos analfabetos que sofrem menos que muitos intelectuais. A maior ignorância é a interior. Ter sabedoria é viver bem interiormente. É fazer o bem pra si que esse bem se reflete nos outros. Quem se sacrifica pelos outros acaba se prejudicando e prejudicando todos à sua volta.

— Então a vó é muito ignorante.

— Ignorar significa não saber. Não é burrice. Ela acha que está fazendo tudo certo. E está, dentro da evolução dela, da capacidade dela. Ela não conhece coisa melhor. E, se não rezar, vai sofrer ainda mais. Então, deixe-a rezar. É uma ignorância interior.

— Então quem reza é ignorante?

— Depende. Se sua avó reza por obrigação, na intenção de ganhar o céu porque Deus está vendo, está na ignorância e sofre pela obrigação de rezar. Quem é obrigado sofre, não é mesmo? Mas, se ela reza por vontade porque se sente bem, ela tem lucidez. O sacrifício voluntário não leva ninguém para o céu. Ao contrário, atrai mais sacrifício ainda. Mas sua avó não é só sofrimento. Tem seus momentos de alegria e paz, não tem?

— Tem, mas são poucos.

— Realmente. Sua avó não é exceção. A maioria das pessoas é assim, principalmente depois de certa idade. Estão muito aquém daquilo que poderiam desfrutar da vida.

— Eu não gosto muito de rezar. Minha mãe vive dizendo que é pra eu rezar bastante porque Jesus só gosta de quem reza.

— Se você não gosta, não precisa. É ignorância dela.

— Acho que é, porque às vezes ela vai à igreja sem vontade.

— Jesus não disse: "Eu sou a luz"?

— Disse.

— E o que faz a luz?

— Clareia.

— Isso mesmo. Clareia, ilumina, esclarece, traz conhecimento, lucidez. Quando se está na lucidez, não existe sofrimento.

— Mas Jesus também não sofreu muito?

— Nem tanto. Quando sofreu, foi porque estava na ignorância. A imagem que todos têm de Jesus é sempre a de um homem sofredor. Você já viu alguma imagem dele dando uma gargalhada?

— Nunca vi.

— Pois é. Essa imagem não venderia e acho que até escandalizaria. Tragédia, drama vendem e influenciam. É que as pessoas cultivam a imagem dos últimos instantes da vida de Jesus, mas ele era uma pessoa espirituosa, alegre, que contava piadas, frequentava festas e até fazia suas farrinhas.

— Jesus era festeiro?

— Claro! Onde foi que ele fez seu primeiro milagre?

— Nas bodas de Caná.

— Pois então, numa festa. E não fez o milagre de transformar a água em vinho só de peninha do dono da festa porque havia acabado a bebida. Provavelmente o vinho era muito ruim e ele queria tomar um vinho de qualidade. Bebeu e farreou com seus amigos e amigas e foram embora rindo muito.

— Que engraçado! Nunca ouvi isso.

— É que as pessoas o veem como um homem sério, certinho, santo, sem pecado, com pena dos pobrezinhos e sofredores. E acham que isso é divino e lindo. É nada. Ele era uma pessoa comum como qualquer outra. As pessoas se esquecem da parte humana dele que é tão importante. Isso que é bacana: era uma pessoa como eu, como você. No final da vida enfrentou os poderosos e acabou sendo morto.

— Mas ele não morreu pra nos salvar?

— Imagine! Cada qual que se salve. Aliás, se salvar de quê? Ninguém precisa se salvar, porque ninguém está perdido. Cada um está no seu devido caminho, no seu processo, experienciando, passando o que está passando pra cada vez mais sair da ignorância, expandir a consciência e viver cada vez melhor. Ele morreu porque precisava passar por aquela experiência pra aprender alguma coisa.

— Por que ensinam errado sobre o mundo depois da morte?

— Porque não sabem. O que acontece depois da morte por enquanto as religiões tentam explicar a seu modo, mas isso é assunto da ciência, porque tem relação com frequência energética. Depois que a ciência descobrir, a religião acatará. Você conhece a história do Galileu.

— Ele descobriu que era a Terra que girava ao redor do Sol e não o Sol que girava ao redor da Terra.

— E o que aconteceu com ele?

— Teve que negar isso pra não morrer.

— E hoje todo mundo aceita isso e a religião não interfere mais. Com o desenvolvimento da tecnologia, um dia a ciência vai descobrir um tipo de onda e inventar um aparelho que possibilitará sintonizar o meu mundo.

— Verdade? Vai ser muito legal ver o que vocês fazem lá. Já pensou ver Jesus? Você já viu Jesus?

— Bem, essa é outra história. Jesus está numa frequência bem superior à minha, mais refinada, mais sutil. Comparando, é como o seu mundo e o meu. Nós conseguimos ver o mundo de vocês e vocês não conseguem ver o nosso. Entendeu?

— Ah, então Jesus consegue ver todos nós e nós não conseguimos vê-lo?

— Isso mesmo.

— Nunca vamos ver Jesus?

— Nunca, não. Só quando a gente evoluir e desenvolver a capacidade de vibrar na frequência dele, ou quando ele descer até a nossa frequência. Já que você perguntou, eu já vi Jesus, sim, nas vezes em que ele desceu até a frequência em que vivo.

— É mesmo, tio? Eu daria um milhão de dólares pra vê-lo. Esse aparelho de que você falou, vai demorar pra ser inventado?

— Tem muita gente trabalhando nisso. Vai depender do interesse da ciência. O desenvolvimento tecnológico não para. Qual o futuro da imagem da televisão ou do computador?

— Não sei.

— O rádio não começou com alguns ruídos, evoluiu e hoje não temos um som quase perfeito?

— Sim.

— A televisão não começou com alguns rabiscos e hoje é colorida?

— Sim.

— A televisão e o computador continuarão evoluindo. Um dia, fatalmente, descobrirão esse tipo de frequência que possibilitará sintonizar o meu mundo.

— Tomara que seja na minha geração!

— Quem sabe.

Robinson, com cinco peixes, começou a caminhar em direção a Cristiano, enquanto tio Barba se despedia prometendo retornar quando Cristiano quisesse. Tio e sobrinho voltaram para casa conversando animadamente.

28

Toda vez que vinha ao Brasil Henrique preferia ficar a maior parte do tempo em Belo Horizonte. Deixara muitos amigos lá, principalmente Bete. Várias vezes telefonara para ela dos Estados Unidos. Bete era uma moça muito atraente e continuava solteira. Tiveram um namorico antes de Henrique se casar com Aninha. Na época ela tinha dezessete anos. Depois que Henrique foi para Los Angeles era dela que ele tinha mais saudade. Esse era um dos motivos de ele insistentemente querer voltar para o Brasil. Ela ainda era apaixonada por ele... e quase todas as noites eles dormiam juntos no apartamento dela.

Tia Laurentina detestava se meter na vida dos outros, mas também não gostava de mentir. Certa noite tocou seu telefone.

— Alô, tia. Tudo bem?

— Tudo, querida, e aí?

— Aqui está tudo bem, graças a Deus.

— Eu queria falar com o Henrique.

— O Henrique não está. Deve estar com os amigos.

— Estranho! É a segunda vez que ligo à noite e ele não está. Ele tem dormido aí?

— Olha, Aninha, às vezes sim.

— Como às vezes?

— Ele diz que dorme na casa do Artur, um amigo dele da empresa onde trabalhava.

— Eu sei. Eu conheço o Artur. A senhora tem o telefone dele?

— Não, querida.

— Assim que Henrique chegar, pede pra me telefonar.

— Está bem.

— Boa noite, tia.

— Boa noite, Aninha. Mande um abraço pra Cândida.

Ana Maria não conseguia pegar no sono. Já eram duas da manhã e Henrique não tinha telefonado. Das outras vezes em que Henrique esteve em Belo Horizonte dormira sempre na casa da tia Laurentina. É que Bete morava com os pais. Mas agora ela tinha seu próprio apartamento e morava sozinha.

No dia seguinte, pela manhã, tia Laurentina contou a Henrique que Aninha havia ligado e ele, preocupado, ligou para ela.

— Oi, Aninha, você me ligou?

— Poxa, Rique! Por que você não me disse que ia dormir na casa do Artur?

— Achei que não precisava.

— Como não? E se eu precisasse falar urgente com você? Me passa o telefone do Artur.

— Aconteceu alguma coisa?

— Não. Você pode me dar o telefone do Artur?

— Não lembro de cabeça — arriscou Henrique.

— Então, depois você me dá.

— Tá certo.

— Quando você vem pra cá? Sua mãe pergunta todo dia.

— Quinta-feira.

Aninha desligou o telefone sem se despedir, deixando Henrique com a pulga atrás da orelha, como ela também estava. Começou a desconfiar dele e ligar os fatos, como a quantidade de vezes que ele ligava para a empresa de Belo Horizonte assim que voltava para os Estados Unidos, o longo tempo que ele passava sem se interessar por ela na cama depois que chegavam de lá, seu constante mau humor. Aninha se perguntava por que ele dissera que queria voltar para o Brasil por causa dos pais se nas férias ele quase não ficava com eles. "Será que Bete era o principal motivo?" Aninha percebera, no passado, como Bete o tratava bem e ao mesmo tempo era seca com ela, às vezes até mal-educada, mas naquela época não tinha motivos para se preocupar porque Henrique era muito apaixonado por ela.

No final das férias seria realizado o casamento de Izabelle e Reinaldo e a festa seria na cidade. No início, os pais dela não gostaram muito da ideia, mas com o tempo acabaram se acostumando. Afinal de contas, Reinaldo era um bom rapaz, estudioso, dedicado, de confiança, e o doutor Vasconcelos pretendia deixar os negócios da fazenda em suas mãos. Izabelle estava grávida de dois meses. Seus pais ainda não sabiam disso, mas dona Cândida sim. Assim que soube, pelo próprio filho, quase lhe dera uma surra. Mas era só teatro. No fundo torcia para que isso acontecesse e estava muito feliz porque em breve mais uma criança traria alegria para aquela casa.

Desde que soubera da notícia, Ana Maria ficara aflita. Ela e Henrique seriam os padrinhos e fatalmente Caio estaria presente. Não sabia se queria reencontrá-lo.

— Mãe, será que o Caio vem?

— Craro, fia. Dona Aurora já disse que ele vem com a namorada.

— Ando tão preocupada. E se descobrirem tudo?

— Se tivé que sê, será, uai! Agora não tem mais perigo. Qué sabê duma coisa?

— O quê?

— Acho até bão. Assim resorve de uma vez por todas esse embruio.

— E como vão ficar os pais dele quando souberem?

— Às veiz vão até ficar contente. Sabe, eu morro de pena da dona Aurora. É avó faiz tanto tempo e ainda não sabe. Ainda mais de uma criança tão especial.

— É mesmo. Eu também não me sinto bem com isso.

— Mais você não tá só preocupada por causa deles, né, fia?

— Por quê, mãe?

— Você não esquece do Caio mesmo...

— Não, mãe. O que ele me disse quando desconfiou da minha gravidez não me afeta mais. Acho que ele era imaturo e estava desesperado.

— Pelo amor de Deus, fia! Mais agora você tá casada.

— Eu sei, mãe, mas é um sentimento que eu não domino.

— Minha Mãe Santíssima! Tende piedade dessa pobre menina!

Henrique chegou de Belo Horizonte com cara de poucos amigos. Ana Maria, por sua vez, fechou a cara para ele e não tocou em assunto nenhum. Nem na cama conversou com ele. Um esperava que o outro falasse alguma coisinha a respeito, mas nenhum dos dois estava disposto a dar o pontapé inicial. Dona Cândida e Cristiano perceberam que as coisas entre eles não andavam bem.

— Fia, o que aconteceu com o Rique? Ocêis brigaro?

— Nada, mãe. De vez em quando ele fica assim.

— Você pensa que eu não sei?

— Ah, ele vive dizendo que quer voltar pro Brasil pra cuidar dos pais, mas quando está aqui passa o tempo todo em Belo Horizonte, e tia Laurentina disse que ele anda dormindo fora.

— Credo, fia! Será que ele...

— Não sei, mãe. Tô desconfiada.

— Valha-me, Deus, Nossa Senhora! Ainda mais essa agora! Coitada da dona Parmira e do seu Argenô! Só têm esse fio.

— Ele vive me dizendo pra eu contar pro Caio sobre o Cristiano.

— E você vai contar?

— Se depender de mim, não.

29

No sábado do casamento a família Vasconcelos chegou pela manhã. Dona Cândida, Reinaldo, Ana Maria e Cristiano os aguardavam na sede da fazenda. Henrique preferiu ficar com os pais. Robinson, a pedido da mãe, ficara em casa aguardando a chegada da família da tia Laurentina. Ela e tio Carlos também eram padrinhos.

Assim que os carros estacionaram em frente à casa, o coração de Aninha disparou. O de Caio, que veio com seu carro, mais ainda. Ele não sabia para quem olhar: para Aninha ou para Cristiano. Ela também não: para Caio ou para Paola. Pintou um ar muito esquisito, fruto de fortes emoções contidas. Os cumprimentos não demonstravam o que estava se passando. Para quem não soubesse da história, como Paola, pareciam cumprimentos normais. Caio fez um esforço gigantesco para não chorar ao abraçar Cristiano. Aninha, vendo aquilo, lacrimejou. Dona Cândida reparava e analisava cada detalhe. Dona Aurora, ao abraçar o menino, sem sabe por que, sentiu uma energia amorosa tão grande que não se conteve. O doutor Vasconcelos sentiu a mesma coisa, mas segurou o choro.

Ana Maria torcia para que Henrique não se encontrasse com Caio perto de Cristiano. Seu medo era que Henrique contasse a verdade ou que Cristiano o chamasse de tio. Cristiano sentiu tanta simpatia por Caio que não saía de perto dele. Mais tarde, depois que tomaram um farto café da manhã, Caio fez de tudo para ficar sozinho com Ana Maria, mas ela fazia o contrário. Ela percebeu, com satisfação, que ele era indiferente à Paola.

Caio não tirava os olhos de Aninha e de Cristiano. Seu coração era um aperto só. Ao ver Cristiano brincando com o Skylab, aproximou-se dele. Aninha percebeu e se angustiou. Não sabia se se aproximava dos dois para ouvir o que conversavam ou se ficava no seu canto.

— É seu esse cachorro?

— É, mas ele fica aqui na casa da vó. Lá em Los Angeles eu tenho um dálmata e uma cadela labrador.

— Pelo jeito é muito manso.

— É mansinho.

— Como é o nome dele?

— Skylab.

— Skylab? Que engraçado. Quem deu esse nome pra ele?

— Fui eu. É por causa de um laboratório espacial que caiu.

— Eu sei. Caiu lá na Austrália.

— Minha mãe disse que a vó morria de medo que caísse em cima da casa dela. No dia que caiu ela fez todo mundo ir pra igreja, porque se caísse lá todos morreriam e iriam pro céu. Ela passou uma semana rezando, pedindo a Deus que nada acontecesse com a família. Depois falou pra todo mundo que Deus tinha atendido seu pedido e mandou rezar uma missa agradecendo.

— É mesmo? — perguntou Caio rindo. — Eu me lembro de que na época muita gente ficou apavorada.

— Ah, eu queria que caísse perto da minha casa.

— Desde que não fosse na cabeça de alguém, né?

— É.

— Você gosta muito de cachorro, hein?

— Ah, eu gosto de todos os animais. Se pudesse eu teria um zoológico.

— Verdade?

— E também um aquário.

— Você prefere o Brasil ou os Estados Unidos?

— O Brasil é mais bonito, mas tenho muitos amigos e professores lá.

— Eu vi você na televisão quando ganhou o prêmio. Torci muito. Parabéns!

— Obrigado!

— Já fui diversas vezes aos Estados Unidos, inclusive para Los Angeles.

— Minha mãe me leva bastante à Disneylândia.

— Qual seu brinquedo preferido?

— A montanha russa.

— É? Eu não tive coragem. Até entrei na fila, mas na hora desisti.

— Você é medroso? — perguntou Cristiano às gargalhadas.

— Sou mesmo.

— Minha mãe também é. Ela nunca foi.

— Ah é? Ela também é medrosa?

— Até num brinquedo bobinho ela morre de medo. Eu dou tanta risada. Eu gosto de ir lá só pra rir dela.

Ana Maria caminhava para cá e para lá inquieta. Daria tudo para ouvir o que estavam conversando. Finalmente, não se conteve e foi até eles.

— Mãe, ele é medroso como você.

— Por quê, Cris?

— Ele não foi na montanha russa de medo.

— Deus me livre daquilo!

Os dois riram muito dela.

— Cadê sua mulher? — perguntou Cristiano.

— Deve estar lá no quarto, descansando.

— Por que seus filhos não vieram?

— Nós não temos filhos.

— Por quê?

— A gente ainda não se casou.

— Nossa! Vocês já podiam se casar.

Constrangida, Aninha chamou a atenção de Cristiano:

— Pare de fazer essas perguntas, filho!

— Deixa ele. Não me incomodo. Posso te dar um abraço, Cristiano? — pediu Caio.

Sem responder, Cris se jogou nos braços de Caio. Toda a emoção contida até ali ficou incontrolável e Caio desabou aos prantos. Ana Maria não sabia o que fazer. Olhava para os lados para ver se alguém estava vendo a cena. Teve uma vontade enorme de passar a mão na cabeça dele para consolá-lo, mas se conteve e também começou a chorar.

— Por que você está chorando? — perguntou Cristiano a Caio.

— Por nada, por nada.

— Já sei. Muita gente quando me vê chora. Acho que é porque sou famoso. Quando Elvis Presley e os Beatles chegavam a um lugar, muita gente chorava e até desmaiava. Gente grande tem cada coisa...

— É isso mesmo, filho — concordou Aninha. — Agora vem comigo. Vai se trocar pra ir pra piscina.

— Você vai pra piscina, Caio?

— Acho que não, querido. Preciso ir até a cidade com o Reinaldo pra tratar dos últimos acertos do casamento — respondeu Caio passando a mão no rosto para enxugar as lágrimas.

Enquanto Aninha saía de mãos dadas com o filho, Caio pediu:

— Aninha, fique aqui mais um pouco.

— Não posso. Tenho muita coisa pra fazer.

Cristiano, ao ouvir o pedido de Caio, se livrou da mão da mãe e saiu correndo.

— Espera, filho.

— Espera você. — pediu Caio.

— Agora não posso, Caio.

— Ele é meu filho, não é?

Ela já esperava aquela pergunta, mesmo assim ficou desconcertada e voltou-se para ele.

— Já falei que não, Caio. Não insista nisso.

— Mas ele se parece muito comigo. Tenho certeza de que é meu filho.

— Você está sugestionado. Já disse que não é.

— É do Henrique?

— É.

— Não acredito. O modo como sua mãe me tratou ao telefone, sua ida antecipada pra Belo Horizonte, a coincidência das datas, tudo me leva a crer que você estava grávida de mim.

— Foi pura coincidência. Expliquei tudo pra você na época.

— Você não fala com convicção. Se soubesse como me arrependo de ter dito pra você tirar... Mas você também precisa entender que eu estava desesperado e era muito jovem. A ideia de ser pai me causou um impacto muito forte e fiquei desnorteado. Não sabia qual seria a reação dos meus pais. Por que você não me telefonou mais? A gente podia ter se entendido. Só me diz se é verdade... Não quero interferir na vida de vocês. Meus pais não desconfiam de nada e por mim nunca vão saber, apesar da culpa que carrego, da pena dos dois e da vontade que tenho de contar pra eles.

— Mas você não precisa ter culpa e nem tem que contar nada, porque o filho não é seu! Já vou indo.

— Espere.

— O que é?

— Ainda te amo... muito.

Aninha saiu às pressas sem dizer uma só palavra e foi direto para seu quarto, trancou a porta e caiu na cama chorando desconsolada. Caio também ficou chorando, desorientado, sem saber que rumo tomar, na certeza de que ela não falara a verdade.

30

O casamento foi um sucesso. Reinaldo e Izabelle passariam a lua de mel em Natal. Muitas garotas caíram matando em cima de Robinson, que estava lindo de terno e gravata, mas ele não quis saber de nenhuma, apesar da insistência da mãe para que ele namorasse. Felizmente para Aninha, Caio se encontrou com Henrique longe do filho e o assunto não foi abordado. Ela estranhou o fato de Henrique ter tratado tão bem e amistosamente Caio, levando em consideração o último encontro dos dois. Dessa vez foi Caio que se manteve reticente com Henrique. Caio voltou com a família para São Paulo muito abatido, para estranheza de Paola.

Na segunda-feira, os três voltaram para Los Angeles. Durante toda a viagem, Aninha e Henrique mal conversaram, falaram apenas o essencial, e esse clima perdurou por dias. Aliás, o relacionamento dos dois nunca mais seria o mesmo.

Como se não bastasse, passados três meses Henrique recebeu, em seu trabalho, um telefonema de Bete — depois da desconfiança de Aninha, eles combinaram de só se telefonar no trabalho — que foi uma verdadeira bomba. Bete estava grávida. Henrique perdeu o chão. Teve até que pedir licença médica por dois dias, alegando fortes dores de cabeça.

Se Aninha descobrisse, seria divórcio na certa. Embora o relacionamento deles estivesse desgastado, Henrique não pensava em separação. Ele pretendia continuar casado e se relacionar em segredo com Bete, porém de forma mais cuidadosa. Aninha percebeu a inquietação de Henrique, mas não disse nada.

Cristiano havia completado treze anos; já não era mais uma criança. A vontade de estudar, aprender e pesquisar aumentava conforme ele crescia. Começava a focar seu interesse em matérias cada vez mais específicas, como física ondulatória e eletromagnetismo. Desde que o tio Barba falara sobre ondas e frequências, tudo que dizia respeito ao assunto ele queria saber, e os professores lhe davam o maior apoio e incentivo, não importando se fazia parte ou não das disciplinas regulares da escola. Dera para se interessar por física quântica. Como se tratava de um menino prodígio, o tempo para cursar as matérias não seguia o calendário de uma escola comum. Assim, Cristiano estava três anos à frente dos demais alunos e no ano seguinte já poderia frequentar o curso superior.

Sua figura em nada se assemelhava àquela que se tinha de um gênio, com óculos de fundo de garrafa, magrela, retraído, isolado do convívio social, que só vive para os livros. Ao contrário, Cristiano era alegre, bonito, extrovertido, esportista, festeiro, e seu físico já se revelava bem traçado, o que mexia com a cabeça das garotas. E ele não dava mole, não. Já tinha ido ao cinema com Jackeline e com Pamella, com idades por volta dos quinze anos, e ele as beijara na boca. Ouvira várias vezes dizerem que era muito dom e talento para uma pessoa só e que Deus havia exagerado com ele.

— Cristiano, depressa com esse banho que o jantar já está pronto — repreendia Aninha quase diariamente.

Ela ficava brava porque ele, que costumava ser tão rápido no banho, nos últimos tempos ficava quase meia hora trancado no banheiro. Henrique não dizia nada, nem para ela nem para o garoto.

Qualquer folguinha que tinha em casa, lá ia Cris para a rua andar de skate, sempre acompanhado de seu aparelhinho e fones de ouvidos, ouvindo rock clássico. Suas bandas preferidas eram Pink Floyd, Van Halen e Dire Straits. Seu quarto era repleto de fotos de motos das mais variadas marcas e potências. Não via a hora de completar a idade exigida nos Estados Unidos para poder pilotar uma, para o desespero de sua mãe.

Com a notícia da gravidez de Bete, Henrique mais do que nunca se sentia insatisfeito com a vida que levava nos Estados Unidos. Estava ficando insuportável viver ali. Voltar para o Brasil tinha virado uma obsessão. Propôs a Aninha que ela ficasse com Cristiano e ele voltasse para Belo Horizonte, onde, no início, arrumaria um emprego, o que não seria nada difícil com a experiência que adquirira, e posteriormente montaria um negócio. Então, enviaria mensalmente a quantia necessária para os dois continuarem levando, no mínimo, o mesmo padrão de vida.

As discussões entre eles se tornavam cada vez mais intensas, até com momentos acalorados em que Aninha perguntara se ele havia dormido na casa de Bete. Pelo menos procuravam não discutir na presença de Cristiano, mas este já percebera que o relacionamento dos dois ia de mau a pior.

Aninha sentia que a situação estava ficando insustentável. Numa tarde, quando Cristiano chegou da escola, chamou-o para uma conversa.

— Filho, o relacionamento entre a mãe e o tio Rique não está bom.

— Já percebi.

— Ele quer muito voltar pro Brasil, mas eu não quero enquanto você não se formar no curso superior.

— Eu também não quero.

— O que você acha se ele for e a gente ficar?

— Do jeito que vocês estão, acho que é melhor mesmo ele ir.

— Mas... E se a gente se separar?

— Uai! Vocês é que sabem, mãe.

— Eu ainda não falei com ele sobre separação. Queria primeiro falar com você.

— Mãe, vocês já estão praticamente separados aqui!

— Obrigada por me entender... Não sabe como isso me deixa tranquila.

À noite, na cama, Ana Maria tomou coragem:

— Rique, estive pensando na sua proposta.

— E o que você acha?

— Conversei com o Cris e ele disse que também não quer voltar. Se você for, acho que não há mais necessidade de a gente continuar junto.

— O que você quer dizer?

— Que se for você lá e eu aqui, é melhor a gente se separar.

— Divorciar? — perguntou Henrique surpreso, pois nunca esperava ouvir isso de Aninha.

— É. Divorciar.

— Você tem certeza?

— Até o Cris me disse que a gente já está separado. Só falta o papel. Nosso casamento não está fazendo bem nem pra gente nem pro Cris.

— Pra que se precipitar? Não é melhor a gente experimentar um tempo comigo lá e vocês aqui pra ver como é? De repente pode aparecer uma solução melhor.

— Para, Rique. Você acha que eu sou boba? Você sozinho lá? Acha que eu acredito?

— Não tenho ninguém lá. Quantas vezes preciso repetir?

— Não vou mais falar sobre isso. Eu não acredito e pronto! E mesmo que não tenha, você acha que eu acredito que você vai ficar me esperando?

— É só uma experiência. Se não der certo, então a gente se divorcia.

— Não. Preciso de uma definição agora. Você vai, prepara a papelada e, quando estiver pronta, me liga que eu vou pra lá assinar.

— E dá pra viver aqui só com o dinheiro da pensão? Você sabe que os salários no Brasil são bem menores que os daqui.

— Você manda a pensão, pega o que está investido, divide por três e manda a minha parte e a do Cris.

— Por três?

— É óbvio. Aí eu posso arrumar um trabalho e você não precisará mais mandar a minha parte da pensão. Posso até arrumar um emprego na escola do Cris ou onde você trabalha. Ah, e tem ainda o aluguel da casa em Belo Horizonte. Você fica com a metade e manda a outra pra mim.

Henrique não disse nem sim nem não. Preferiu deixar a ideia amadurecer para dar uma resposta definitiva depois.

31

Ana Maria esperava ansiosa por uma resposta afirmativa de Henrique. Ela cultivava a ideia de uma possível reaproximação entre ela e Caio, já que ele ainda não tinha se casado. Apesar de o pedido de separação de Aninha ter mexido com seu orgulho, Henrique começava a admitir que a proposta dela poderia ser a solução de seus problemas. Sabia como era difícil fazer manobras para esconder um filho do pai e vice-versa, bem como os resultados emocionais disso, e não pretendia passar pela mesma experiência.

Cristiano já tinha viajado para quase todas as partes dos Estados Unidos através da escola. Mas o lugar que mais lhe chamara a atenção era o Grand Canyon, tanto que volta e meia pedia a sua mãe e a Henrique que o levassem lá. O que o impressionava era a imensidão daquilo, tanto visto à beira do desfiladeiro como às margens do rio Colorado, no fundo. Ficava imaginando quanto tempo as águas do rio e da chuva e o vento não tinham levado para esculpir aquelas paredes que chegavam a alcançar mil e seiscentos metros de altura, e o vale com uma largura que em alguns lugares atingia quase trinta quilômetros. Ali ele sentia uma expansão tão grande quanto o próprio lugar. Além da paisagem, havia algo que o atraía, que ele não sabia explicar. Apenas sentia uma sensação de paz, como se o tempo não existisse.

Daquela vez Henrique preferira ficar em casa. De Los Angeles a Las Vegas o trajeto foi feito de ônibus porque Cristiano adorava curtir a estrada e a paisagem. A viagem de helicóptero de Las Vegas até o local era um dos pontos altos do passeio. O helicóptero descia até o fundo, pousando às margens do rio Colorado. Cris preferia se afastar das pessoas para observar a pouca vegetação do lugar, própria de regiões áridas.

— Filho, não vai muito longe. Cuidado que têm cobras — advertiu Aninha.

— Vou só até ali.

Ao se aproximar de um pé de cactos, ouviu um ruído de chocalho. Achou interessante e aproximou-se mais. O ruído aumentou e ele começou a vasculhar de onde vinha. Estava curioso porque nunca tinha ouvido aquele som. Quando estava a um metro de distância, levou um tremendo susto. Viu um enorme rolo com a cabeça levantada. A cascavel estava pronta para dar o bote. Com o susto, ao saltar para o lado, Cristiano escorregou e caiu num buraco. Ele olhou para cima e percebeu aquela serpente enfurecida, a menos de dois metros de sua cabeça. Quis gritar por socorro, mas a voz não saiu. A cobra, sentindo-se ameaçada, deu o salto para atingi-lo na cabeça. Instintivamente Cristiano protegeu o rosto com os dois braços e fechou os olhos aguardando, em pânico, o resultado. Mas, antes de alcançá-lo, o réptil foi desviado, caindo noutra direção, desaparecendo por entre a vegetação seca. No lugar da cobra surgiu tio Barba.

— Tio Barba? Graças a Deus! Que susto! Você viu o tamanho da cobra? — perguntou tremendo.

— Claro.

— Foi você que me defendeu, né?

— Dei uma ajudazinha.

— Caramba! Me sujei todo — disse enquanto levantava e batia a poeira da roupa.

— Se borrou todo, quer dizer — completou tio Barba rindo.

— Quase, tio Barba...

— Não precisa falar. Esqueceu?

— É mesmo. Também nem pensei nisso.

— Daqui pra frente me chame só de Barba, tá? Chamar de tio é coisa de criança.

— Tá bom, Barba. Ó, ficou até melhor. Ô, Barba, este lugar aqui é impressionante, né?

— É um lugar muito especial. Tem muita energia, magia e boas vibrações. Isso vem de milhares de anos. Os índios sempre tiveram este lugar como sagrado e vinham aqui fazer seus rituais.

— Acho que é por isso que me sinto tão bem aqui.

— Tem gente que não percebe isso.

— Como assim?

— Só enxerga a beleza. Não sente o que você está sentindo. Só sente quem tem o sexto sentido mais desenvolvido.

— Uai! Então temos mais de cinco sentidos?

— Muitos mais. E o sexto é o da mediunidade. Como você é médium, percebe essas coisas com mais intensidade.

— Eu sou médium?

— E dos bons. Por isso você tem percepções extrassensoriais, ou seja, além dos cinco sentidos. A clarividência é uma percepção extrassensorial. Você me vê porque é médium. Médium quer dizer "por intermédio". Aquele que faz contato entre o mundo físico e outros planos. Há vários tipos de médiuns. Aqui nos Estados Unidos eles chamam de *channel,* o canal entre os planos. Tem médium de clarividência, clariaundiência, de incorporação, de psicografia, de pictografia, de cura e muitos outros. Procure ler a respeito. A maior parte das figuras de destaque da História era de grandes médiuns.

— Da Bíblia também?

— Principalmente esses.

— Jesus também?

— Esse, então, nem se fala. Todos os grandes santos foram grandes médiuns. A mediunidade é uma coisa maravilhosa, mas, se a pessoa não souber lidar com ela, poderá atrair muito sofrimento. Assim como é sensível a coisas boas, também é a coisas ruins. Agora vá que sua mãe está chamando.

— Obrigado, Barba. Tô devendo essa. Tchau!

Cristiano foi correndo até o helicóptero, que já estava funcionando.

— Depressa, filho. Só faltava você. Credo! Sua bermuda está toda suja. Olha a camiseta. Nossa! Você está branco! O que aconteceu?

— Eu escorreguei e caí num buraco.

— Falei pra você tomar cuidado. E agora? Você só tem esta roupa.

— Ah, mãe, deixa.

— E você vai viajar sujo assim?

— E daí? Não dói.

O helicóptero decolou, subindo rente ao paredão e pousou à beira do Grand Canyon para que as pessoas pudessem curtir a vista deslumbrante. Explicar como é o lugar é passar uma visão reduzida e até equivocada. O Grand Canyon não é para ser explicado e sim para ser sentido.

Após duas horas de contemplação, o helicóptero deixou os turistas em Las Vegas, onde Aninha e Cris pegaram um avião de volta para Los Angeles, com a sensação de terem tido um dia pleno.

Em casa, à noite, Ana Maria recebeu a resposta afirmativa de Henrique. Ele pretendia fazer os acertos na empresa e voltar para o Brasil dentro de um mês.

32

No dia seguinte, Aninha apressou-se em ligar para a tia Laurentina.

— Tia, tenho uma novidade pra te contar.

— Boa ou ruim?

— Eu estou contente, então pra mim é boa.

— Fale logo, querida.

— Vou me separar do Henrique.

— É mesmo? Se você está feliz, vai em frente, uai! Ele aceitou bem?

— No início ficou surpreso e rejeitou a ideia, mas acabou concordando, inclusive com as condições que propus.

— Ainda bem. O Henrique é compreensivo. Às vezes dá uma de durão, mas no fundo é maleável. No casamento do Reinaldo eu percebi que vocês não estavam bem.

— Nosso casamento já estava desgastado, mas depois que ele me propôs de eu ficar com o Cris aqui e ele voltar pra Belo Horizonte, e eu sabendo que quando ele esteve aí dormiu fora várias noites, concluí que não havia mais o que fazer senão pedir o divórcio.

— Você fez muito bem, filha. E o Cris, o que achou?

— Tia, a senhora não vai acreditar. Ele me aconselhou a me separar. Disse que a gente já estava separado. Pode?

— Que maravilha! Cada vez admiro mais esse menino.

— Às vezes fico me perguntando que menino especial é esse que nunca me deu trabalho. Nem no parto eu sofri. Já me deu tanta alegria, nunca pegou uma gripe sequer, com tantas mães por aí que vivem com os filhos no médico... Será que é normal? Fico até com medo.

— Medo do quê, menina? Pare com isso! Levante as mãos para o céu e agradeça todo dia por essa bênção.

— Ah, isso eu faço. Agradeço a Deus todo santo dia.

— Você tem mais é que aproveitar a presença dele.

— Voltando ao Henrique, apesar de ele gostar muito do Cris e do Cris gostar dele também, eu percebo que os dois, muitas vezes, são um pouco distantes um do outro. A senhora entende?

— Entendo. Principalmente para o Henrique. Ele não tem a intimidade que um pai tem com um filho. É compreensível. Padrasto sempre vai ser padrasto.

— É isso mesmo.

— Já contou pra sua mãe?

— Ainda não. Acho que ela não vai estranhar muito e nem se opor, porque já andei dando umas indiretas. Amanhã eu ligo pra ela.

— Acho que você tem razão.

— Ah, tia! Queria pedir um favor, além dos tantos que vocês têm feito pela gente.

— Não se preocupe, Aninha, pode pedir.

— A senhora deixa o Henrique ficar aí até ele arrumar sua situação?

— Claro, querida. Não precisava nem falar. Nossa casa está sempre à disposição de vocês.

— Muito obrigada, tia. Um beijo.

— Outro pra você.

Ana Maria começou a fazer planos. Assim que a separação estivesse efetivada, iria ligar para a casa do doutor Vasconcelos em São Paulo. Só não sabia que desculpa arrumaria para falar com Caio, caso outra pessoa atendesse. "Mas... e se ele topasse? Será que ele deixaria seu emprego e a família para morar com eles nos Estados Unidos? Será que iria querer que ela e o filho voltassem para o Brasil? E se ele não topasse por estar bem com Paola? Ela iria ficar sozinha, sem Caio e sem Henrique?" Essas perguntas martelavam sua mente o tempo todo.

Apesar disso, o que importava era que ela tinha tirado um caminhão de suas costas. Sentia-se tão aliviada, leve e livre, coisa que havia anos não sentia. Acordava todo dia bem-humorada. Henrique também. Até sexo andou rolando de novo.

A família estava feliz. Cristiano comemorou mais um prêmio entre tantos que já conquistara na escola. Desta vez tinha sido pelo melhor trabalho sobre magnetismo. E quem nasceu para ser estrela fatalmente brilhará. Cristiano era destaque em revistas especializadas dos Estados Unidos, e quem brilha nos Estados Unidos brilha no mundo inteiro. Assim, depois de tanto tempo no anonimato, voltava a aparecer na mídia, inclusive no Brasil. Algumas universidades americanas entraram em contato com sua escola, convidando-o para ministrar palestras, mas ele disse que só aceitaria se não interferisse em seus estudos e desde que todas as despesas com viagem e estadia, incluindo um professor como acompanhante, fossem por conta delas e, principalmente, que pagassem bem. Sessenta por cento seriam dele e quarenta para a escola, que cuidaria de tudo.

— Viu, Cris? Já pode até ganhar seu próprio dinheiro.

— Mãe, um dia vou ficar rico. Quero ganhar muito dinheiro pra abrir muitas escolas no Brasil. Tio Barba... Ah, ele não quer que eu o chame mais de tio. Disse que não sou mais criança.

— E não é mesmo. Meu filhão está um homenzinho lindo — disse Ana Maria apertando o seu rosto contra o dele — e vai ficar muuuito rico pra viajar com a mamãe pelo mundo todo.

— O Barba disse que quanto maior a ignorância maior o sofrimento.

— Sabe que é mesmo, filho? A guerra é a maior das ignorâncias e veja quanto sofrimento ela traz.

— Ele também disse que a maior ignorância é a interior.

— Como assim?

— O importante é o bem que fazemos pra gente e que se espalha pra todos. O sacrifício pelos outros não conta nada. Só prejudica.

— Que lindo! Meu filho está ficando sábio... Tia Laurentina vai gostar muito de conversar com você.

— O Barba fala cada coisa, mãe!

— Ah, quer dizer que vocês andam se encontrando por aí às escondidas? Já entendi.

— Sabe, quando estou com uma dúvida, só preciso pensar nele desejando sua presença e ele aparece.

— Nossa, que coisa interessante! Parece mágica. Parece telefone sem fio.

— É telepatia. A gente não conversa mais com a boca. Só pelo pensamento.

— Fiiiilho do céu! E o que seus amigos acham disso tudo?

— Ah, nem conto pra eles. Eles não vão entender. Não conto nem pros professores. O Barba disse que os cientistas um dia descobrirão tudo isso. Ele disse que sou médium.

— Médium? Como o Chico Xavier?

— Sim.

— Que coisa boa! — disse Aninha dando um beijo nele. — E o que mais ele falou?

— Que, se eu não souber lidar com a mediunidade, poderei sofrer bastante.

— Mas você é muito inteligente e entende o que está acontecendo.

— Até agora acho que sim, porque não estou sofrendo...

33

Henrique voltou ao Brasil para arrumar os papéis do divórcio e para tentar conseguir um emprego. Na primeira oportunidade procurou Bete e dormiu com ela. Ana Maria ligou para a tia. Ela contou que Henrique não estava em sua casa e que ele dissera para ela não se preocupar porque preferia ficar na casa de Artur, no centro da cidade, assim lhe facilitaria procurar emprego. Aninha tinha certeza de que ele tinha outra. Ficou um pouco decepcionada, mas nada que chegasse a perturbá-la.

Cristiano já tinha três palestras agendadas. Uma delas seria em Harvard.

— Mãe, você não precisa trabalhar se não quiser. O dinheiro que vou ganhar será suficiente pra nós dois, mas talvez fosse bom você sair um pouco de casa.

— Ah, filho! É que estou tão acostumada a ficar em casa.

— Mas você andava irritada e até triste. Depois que decidiu se separar, melhorou um pouco, mas ainda acho que você deveria fazer algo.

— Será, filho?

— Claro.

— Vamos ver. Se eu voltar a ficar triste, irei atrás de trabalho ou de alguma coisa pra fazer.

— Precisa fazer novas amizades. Só as da igreja não são suficientes. A senhora não vai ficar sozinha pelo resto da vida, vai?

— Como sozinha? Eu tenho você.

— Estou falando de outra coisa.

— Ah, meu amor! Ainda nem me separei do tio Rique.

— E precisa? Eu disse que vocês estavam separados havia tempo. Um dia também vou sair de casa.

— Credo, filho! Assim você me assusta.

— É a realidade, mãe. Precisa começar a agir logo pra não sofrer depois.

— Poxa! Eu sou mesmo uma pessoa de sorte. Não é qualquer mãe que tem um psicólogo em casa. Tão novo e tão adulto, meu Deus! — disse Aninha passando a mão no rosto de Cristiano. — Fique tranquilo, meu anjo. Tenho aqui meus planos.

— Quando a senhora for ao Brasil, eu também terei de ir?

— Será que não tem problema na escola, filho?

— Quanto tempo a senhora vai ficar lá?

— Ah, eu queria ficar pelo menos uma semana pra passar na vó também.

— Uma semana é muito. Na escola eles deixam, mas não quero faltar tanto.

— As férias estão muito longe. Quero resolver tudo isso já.

— Então, a senhora vai e eu fico.

— Sozinho?

— Fico na casa do Paul, uai! Já dormi tantas vezes lá.

— Estou entendendo muito bem... O Paul, irmão da Jackeline, né?

— Não é nada disso, mãe!

— Vou fingir que acredito.

— E daí? O que é que tem?

— Nada, nada. Não está mais aqui quem falou.

— A mãe e o pai dele gostam tanto de mim. Sempre pedem pra eu dormir lá.

— E quem não gosta duma coisinha tão fofa? — disse Aninha, apertando sua bochecha.

— Coisinha fofa, mãe! Para!

— Tá bom! Coisinha querida.

— Piorou.

— É uma boa ideia. Vamos falar com os pais de Paul.

— E se a senhora quiser, pode ficar até mais tempo lá. Eu não faço questão — completou Cris rindo.

— Ah, é, safadinho? — retrucou Aninha dando um tapa no seu traseiro. — Pois eu vou ficar um mês pra ver se você não vai sentir minha falta.

— Fica, uai! — completou ele, dando de ombros.

— Quer apostar?

— O que você quiser. A senhora é que não aguenta ficar longe de mim mais de uma semana.

— Convencido!

Ana Maria brincou, mas no fundo sabia que era pura verdade.

— Hoje eu não vou cozinhar. Estamos felizes e vamos comemorar jantando fora.

— Oba!

— Vá tomar banho. E não demore muito no banheiro.

A caminho do restaurante, Cristiano sugeriu:

— Mãe, por que a gente já não passa na casa do Paul pra falar com os pais dele?

— Na casa da Jackeline, você quer dizer?

— Tanto faz.

Ana Maria aceitou a sugestão. Enquanto ela conversava com os pais de Paul, Cristiano insistia para ele e Jackie irem também ao restaurante. No final, tudo ficou resolvido. Cris ficaria com eles enquanto sua mãe estivesse no Brasil e os dois irmãos, com a concordância dos pais, puderam acompanhá-los para jantar.

Enquanto aguardavam o pedido, Cris e Jackie trataram de dar uma saidinha, deixando Paul conversando com Aninha.

— Paul, você acha que tem alguma coisa entre esses dois aí?

— Não sei, mas já se beijaram.

— É mesmo? Onde?

— Na boca.

— Eu sei que é na boca, querido. Quero saber em que lugar?

— No cinema. A senhora não conta nada, tá?

— Claro que não. Fique tranquilo.

— Jackie disse que está apaixonada por ele.

— Nossa! Então estão bem avançadinhos. Vejam só! Meu filho, quem diria? Por isso que ele anda eufórico e fala tanto nela. Acho que ele também está apaixonado. Cadê eles, que o garçom já está vindo?

Paul, desconfiado, tomou a iniciativa e saiu rapidamente à procura dos dois, encontrando-os aos beijos. Quando chegaram à mesa, Aninha questionou:

— Quanta demora, filho! Onde vocês estavam?

— Por aí — respondeu seco, já pedindo pra ser servido.

No caminho de volta, Ana Maria jogou um monte de indiretas, tentando fazer o filho confessar que estava apaixonado, mas ele, percebendo suas intenções e sagaz como era, esquivou-se muito bem, deixando-a frustrada.

34

Aninha viajou direto para Belo Horizonte e fez o que era preciso, sem dirigir qualquer pergunta a Henrique além das referentes ao divórcio. Ele, deliberadamente, disse que já estava trabalhando. Uma vez sacramentada a separação, mais do que nunca, ambos experimentaram a sensação de liberdade. Henrique estava livre para Bete e Ana Maria já podia procurar Caio sem nenhum empecilho. Ela voltou para a casa da tia e as duas foram eufóricas comprar passagem para Pouso Alegre. Os assuntos se alternavam, mas sempre retornavam ao mesmo: Caio.

Nos Estados Unidos, já era a quarta noite que Cristiano dormia na casa de Jackie. Os pais dela haviam saído e chegariam tarde. Paul tinha ido à casa de um amigo que morava próximo dali. Vendo-se a sós, Cris chamou Jackie para seu quarto e ela o atendeu de imediato. Começaram a se beijar. O clima foi aumentando e as mãos procuraram outras partes do corpo. A situação saiu do controle e as peças das roupas, uma por uma, foram arrancadas. Então, tanto Cristiano como Jackie fizeram sexo pela primeira vez.

A chegada de Ana Maria à Fazenda Santa Luzia foi uma festa. Dona Cândida e Robinson a abraçavam ao mesmo tempo.

— Fia, cadê o Cris?

— Ficou, mãe. Ele não podia perder tantas aulas.

— Ficou suzinho?

— Não, ficou na casa de um amigo. Os pais dele são meus amigos da igreja.

— Ah, bão! E você? Parece tão feliz.

— Estou mesmo, mãe.

— Por causa da separação?

— E também porque Cris está muito bem. A senhora acredita que ele já vai ganhar o próprio dinheiro?

— Ele já tá trabalhando? — perguntou Robinson.

— Ainda não. Ele vai dar palestras em universidades dos Estados Unidos.

— Em universidades? Nossa, sobre o quê?

— Sobre as matérias que aprende na escola. Ele está ficando famoso por lá também. É o aluno mais adiantado. Ele não comenta comigo o que está estudando, mesmo porque eu não entendo nada, mas dizem que é muito complicado. Uma vez ele falou que estava estudando magnetismo e ondas.

— E vai ganhar bem?

— Claro. Foi uma das condições impostas por ele.

— Esse meu sobrinho ainda vai ser famoso no mundo inteiro. Quem sabe ele descobre alguma coisa que vai revolucionar a Ciência...

— Às vezes tenho até medo. E você, maninho? Está namorando?

— Não... — respondeu Robinson meio constrangido.

— Nossa! Bonito como você é deve estar assim de pretendentes. O Cris já anda de mexerico com uma americaninha. Ela é tão linda! O nome dela é Jackeline. É quase dois anos mais velha. Ah, é irmã desse amigo de que falei.

— O Cris já tá namorando, fia?

— Namorando, não sei. Mas já se beijaram. E os dois arrumam qualquer motivo pra se encontrar.

— Credo em cruiz! Tão criança, meu Deus, e já se beijando na boca! Esse mundo tá mesmo perdido.

— Ah, mãe, é coisa de adolescente. Não passa de uns beijinhos.

Robinson deixou as duas por um instante.

— Fia, tô preocupada com esse menino aí.

— Por quê, mãe?

— Você não fala em namorada pra ele, pelo amor de Deus! Esses dia toquei no assunto e ele virou uma fera. Falou pra eu não me meter na vida dele.

— Credo, mãe! Ele já tem mais de vinte anos e nunca namorou?

— Nunca vi ele suzinho com uma moça.

— E ele tem amigos?

— O que mais ele se dá é com André. Um rapaiz tão bão, só vendo, fia... Esses brinco aqui foi ele que deu.

— Sei...

— Parece até que ele adivinha. Nos domingo quando o Robinson não vai pra cidade ele vem pra cá. Já catam as vara e vão pra lagoa pescar.

— E a senhora não desconfia de nada?

— Desconfiar de quê?

— Ele nunca namorou, não gosta que toquem no assunto, está sempre acompanhado de um amigo... Mãe, será que o Robinson não é...?

— Não quero nem pensar numa coisa dessa, fia. Pelo amor de Deus! Peço tanto pra Virge Maria arrumar uma moça boa pra ele...

— Ah, mãe, se for o que estou pensando, não adianta nada a senhora rezar.

— Adianta, sim.

— Se for verdade, a gente precisa apoiá-lo.

— Apoiar? Onde cê tá com a cabeça, fia? Eu não aceito uma coisa dessa de jeito nenhum. É pecado. Será que é bão consurtar um médico ou um pissicorgo?

— Pra que, mãe?

— Ele precisa se tratar.

— Se tratar, mãe? Isso não é nenhuma doença.

— É doença, sim. Deus não permite uma coisa dessa e Ele há de me atender.

— Ah, mãe, vamos mudar de assunto. E o Caio?

— Agora você me deixou encafifada com essa conversa, fia. O Binho... Meu Binho... Não pode ser. Não acredito não e... fia, não toca mais nesse assunto, tá? O que tem o Caio?

— A senhora tem alguma notícia dele? — indagou Aninha ansiosa.

— Por que você não esquece esse home, fia de Deus? Agora não adianta mais ir atrás dele.

— Por que não, mãe?

— Dona Aurora teve aqui e não se aguentava de felicidade.

— Por quê?

— Disse que vai ser avó.

— A...vó, mãe? Como?

— A mulher do Caio tá grávida.

— Grááá...vida? — perguntou chocada.

— É. Nasce no mêis que vem.

— Eles se casaram? — quis saber Aninha desapontada.

— Ainda não.

Ana Maria fez silêncio e não conseguiu conter as lágrimas.

— Uai! Que é isso, fia? Cê tá chorando? Não tô falando, criatura?

— E... agora, mãe?

— Agora o quê?

— Eu... achava que... que as coisas estavam se arrumando. O Caio... o Cris...

— Carma, fia! Reza bastante. Põe nas mão de Deus. As coisa quando têm de acontecer vai acontecer. Cê ainda tá nova e bonitona, pode muito bem achar otro marido.

— Eu lá quero outro marido, mãe?

— Carma que o tempo resorve tudo, fia! Vai tomar um banho, que eu vou cuidar do armoço.

Aninha se trancou no quarto e chorou desconsoladamente.

35

Cristiano percebeu que Ana Maria voltou diferente do Brasil.

— Mãe, o que aconteceu na viagem?

— Por que você me pergunta isso?

— Você foi tão contente e voltou assim...

— Assim como?

— Calada, triste, pouco falou da viagem, está comendo pouco. Se arrependeu da separação?

— Não. Estou preocupada com a vó.

— O que tem a vó?

— Sabe, filho, estou desconfiada de que o tio Robinson é gay.

— É esse o drama todo?

— Pra mim, nem tanto. Quando me dei conta, senti um pouco, mas a vó não aceita de jeito nenhum. Aliás, ela se recusa a enxergar.

— E por que a senhora está tão preocupada com a vó? Deixe-a com a cabeça dela. Você devia se preocupar com você.

— Não é só a vó que me preocupa. Se realmente for verdade, o tio Robinson vai sofrer muito, se já não estiver sofrendo.

— Como você sabe se ele está sofrendo ou não, mãe? Quem sabe ele não está melhor que você. Ele só vai sofrer se não aceitar a sexualidade dele. Na escola tivemos aula com um psicólogo que tratou desse assunto. Achei interessante quando ele disse que sexos só há dois: macho e fêmea, enquanto sexualidade, que é o que importa, há tantas quantas pessoas houver no planeta. Não há duas pessoas com a mesma sexualidade. A sexualidade é individual. Dois homossexuais não têm a mesma sexualidade e nem dois héteros.

— Então a vó tem razão quando disse que se for verdade seria bom consultar um psicólogo. Só que ela acha que o psicólogo vai curá-lo.

— Se ele estiver sofrendo, claro que precisa. Se não estiver, é deixar pra lá.

— Mas... e as pessoas não vão discriminá-lo? A discriminação dói muito.

— Vai depender da cabeça dele. Se ele der uma banana para o que disserem, ele vai ficar bem.

— Mesmo pra vó?

— Principalmente pra ela.

— Credo, filho! É até falta de respeito.

— E ela respeita a sexualidade dele?

— Mas a vó não tem instrução. É uma pessoa humilde. É preciso compreender isso.

— Mãe, lembra que o Barba disse que toda dor vem da ignorância?

— Lembro.

— Deus não protege a ignorância.

— Se você tiver oportunidade de falar sobre isso com o tio Robinson, acho que lhe fará muito bem.

— Eu não, mãe. A não ser que ele me procure e acho que nem precisa, porque não acredito que ele esteja sofrendo. Mas você não anda triste só por isso, né?

— Claro que é!

— Claro que não é, mãe! Se fosse só por isso, já teria passado. Faz uma semana que você anda assim. Falar, conversar, sempre faz bem, mesmo que a outra pessoa não tenha nada a dizer. Bem, você é quem sabe. Se não quiser falar, não precisa.

— Tá bom, filho, agradeço.

— Não precisa ser comigo. Pode ser com uma amiga, com a tia Laurentina, sei lá, mas fale. Não guarde tudo pra si. Acho que quem está precisando de um psicólogo é você e a vó.

— Você não está preocupado com a palestra? É na próxima semana — perguntou Aninha procurando desviar o assunto.

— Eu não.

— E se um cientista fizer uma pergunta difícil?

— Se eu não souber, digo que não sei. Tomara que faça, porque depois vou procurar ele pra a gente conversar. Eu também sou um cientista. Agora passo a maior parte do tempo nas pesquisas.

— Queria ser assim tranquila como você.

— É que a senhora se preocupa demais com a opinião dos outros. O Barba me disse certa vez que essa é uma das maiores ignorâncias do ser humano. A vergonha é puro orgulho e gera muito sofrimento. Por outro lado, a verdadeira humildade é uma das maiores, se não a maior das virtudes e felicidade é coisa pra gente humilde. Disse também que o que o outro pensa da gente só interessa a ele.

— Isso é muito bonito!

— Se não puser em prática, não adianta ser bonito.

— Essa foi direto pra mim, né?

— Se serviu, aproveite.

— E a vó? Ela não é humilde? Por que sofre tanto?

— A vó não é humilde. Ela é ignorante e a ignorância traz sofrimento. Não vê quanta ignorância está por trás do preconceito? E a vó está cheia deles. As pessoas confundem humildade com pobreza, analfabetismo, pouca cultura. Há muito orgulho nas favelas, senão não estariam lá.

— É o Barba que fala todas essas coisas pra você?

— Sim, ele me falou sobre esse assunto, mas também aprendo muito com os livros.

— E ele explicou o que é humildade verdadeira?

— É aceitar-se como é e aceitar os outros como são; é não se culpar por nada; é não se preocupar com o olho do outro; é se pôr em primeiro lugar.

— Como? Se pôr em primeiro lugar? Sempre pensei que deveria ser o contrário...

— O Barba disse que, se você não se puser em primeiro lugar, sempre estará submisso a alguém, dando seu poder a quem está acima e que, quando você se põe em primeiro lugar, não está tirando o lugar de ninguém. Cada um que se coloque onde bem entender. É preciso pensar primeiro na gente e depois nos outros. É preciso primeiro arrumar a casa da gente e depois, se quiser e o outro permitir, ajudá-lo a arrumar a dele. Não se pode arrumar a casa dos outros com a da gente bagunçada. Ah, ele ainda comentou que os últimos serão os últimos e os primeiros serão os primeiros, porque cada um está onde se põe.

— Meu Deus, que coisa diferente! Gosto tanto de conversar com você, filho...

— Muita gente se põe em segundo, terceiro ou último lugar pra mostrar-se humilde e conseguir aprovação, aplauso, aceitação, porque aprendeu que isso é bonito perante a sociedade. Essa pessoa não sabe, mas é um poço de orgulho. É a falsa humildade. Claro que vai sofrer bastante, muito mais do que já está sofrendo, porque depende muito dos outros e a dor faz mudar de postura. É a lei da vida.

— E se ela não mudar?

— A dor vai aumentar.

— Como? Até que ponto?

— Até virar uma doença física, desde uma simples até uma incurável, dependendo de quanto ela se abandona. Por isso que muitos morrem doentes. O Barba disse que toda doença é o resultado daquilo que fazemos contra nós. Quando se tem mágoa de alguém, não estamos fazendo nada contra o outro, mas contra nós, que acabamos sofrendo as consequências. Toda mágoa que persiste acaba virando doença. O mesmo acontece com a culpa. Quem se culpa se condena.

Ana Maria, que já estava sofrendo, saiu pensativa, pois vestira a carapuça.

36

As palestras de Cristiano foram um sucesso e os convites não paravam de chegar, inclusive de outros países. Até com a USP Cristiano já tinha marcado uma para as férias. Muitos pedidos eram recusados por ele não conseguir conciliá-los com seus estudos e pesquisas. O dinheiro que ele ganhava superava em muito as pensões que Henrique mandava, tanto que pediu que a mãe abrisse mão delas.

O que para Ana Maria, no início, era tristeza virou depressão. Cristiano fazia questão de que ela o acompanhasse em suas viagens para não ficar sozinha em casa. Naquele estado, ela não sentia ânimo nenhum para fazer as coisas. Nem o sucesso do filho a empolgava. Até o serviço de casa ficou prejudicado. Ela passava horas prostrada no sofá, assistindo à televisão e chorando por qualquer motivo. A primavera da Califórnia, em vez de animá-la, deixava-a mais triste, porque Caio não estava ali. Voltar para junto da mãe estava fora de cogitação. Seu problema se agravaria com o distanciamento do filho e com os lamentos da mãe, fora a solidão que sentiria na fazenda, onde os dias parecem não ter fim.

— Mãe, é solidão que você está sentindo?

— Não sei.

— Claro que você sabe! É solidão?

— Bem, acho que também é.

— Mesmo quando viaja comigo, percebo que você continua triste.

— Ah, filho! Vai passar. Deixa pra lá.

— Não vai passar, não. Vai é piorar. E não adianta ter cem pessoas junto com você que essa tristeza vai continuar. Outro dia assisti à entrevista de um escritor na televisão e ele dizia que a solidão é a distância que a gente tem da gente e não de gente.

— É?

— Enquanto você não ficar bem consigo mesma, nada vai adiantar.

— Concordo que minha autoestima está baixa.

— Põe baixa nisso...

Cansado de aconselhá-la sem resultado, numa noite Cristiano resolveu pedir ajuda ao Barba. Concentrou-se e desejou sua presença.

— Boa noite, Cris.

— Oi, Barba. É minha mãe, sabe?

— Não precisa dizer. Já sei de tudo. Compreendo sua preocupação, mas não podemos fazer muito por ela no momento. A gente ajuda até certo ponto. Daí pra frente não podemos interferir, deixando que a pessoa sofra as consequências de suas próprias crenças e atitudes. O que parece um mal para vocês, para as esferas superiores é uma bênção, uma oportunidade.

"Assim como eu sou seu guia, todo mundo tem o seu. Conversei com o guia dela, que me disse estar tudo certo. Ela precisa passar por essa experiência para amadurecer. Os guias são orientados para agir assim. Quando a pessoa resiste a mudar, a ajuda consiste apenas em passar orientações, principalmente enquanto a pessoa dorme. E, se ela for muito irresponsável, nem isso terá. Pode rezar, pedir, fazer promessas que não adianta nada.

"Os principais sintomas da depressão são tristeza profunda, duradoura, e desânimo. Tanto a alegria como o ânimo são sentimentos que vêm da alma. Desânimo significa sem ânimo, ou seja, sem alma. Sua mãe está distante da alma. Está muito mimada, agindo como criança, e espera que a solução de seus problemas venha dos outros, principalmente de você, que não poderá ceder de jeito nenhum. A pena que você está sentindo dela prejudica vocês dois."

— Como assim?

— A pena, a piedade são perniciosas. As energias trocadas são de baixíssima qualidade. Vocês parecem dois vampiros.

— Quer dizer que ela suga minhas energias e eu as dela?

— Exatamente. Não teria problema nenhum se a troca fosse de boa qualidade, o que está longe de ser o caso de vocês.

— O que devo fazer?

— Mantenha-se impessoal, neutro diante dos problemas dela.

— É meio difícil, ainda mais com a mãe.

— No começo pode parecer difícil, mas com a prática você se acostumará. A primeira coisa que precisa fazer, com você mesmo, é tirar dela o papel de mãe. Mãe, pai, filho, irmão, namorada, amigo não passam de papéis que assumimos pra nos relacionarmos na família, no grupo, na sociedade. Todos precisam ser tratados como uma pessoa individual, pois ninguém é de ninguém.

— Então o fato de ela ser minha mãe não conta nada?

— O papel de mãe não. Claro que você não vai perder o apreço, o carinho que tem por ela, pelas pessoas que estão próximas. Ao contrário, sendo impessoal e eliminando os papéis, surge o sentimento verdadeiro de apreço, carinho, amor, compaixão, amizade etc., porque ele se torna puro.

— Entendi.

— E as sensações desagradáveis como desapontamento, frustração, desilusão, pena, piedade, dó... praticamente deixam de existir.

— Mas isso é muito legal!

— Sabe, Cris, não existe vítima.

— Não?

— Existem pessoas que passam por determinadas experiências, por mais desagradáveis que sejam, pra desenvolverem certos atributos, certas virtudes, determinadas faculdades, que seus espíritos querem desenvolver ali, e assim expandirem cada vez mais a consciência. Quanto mais expandida estiver a consciência, mais liberdade, poder e domínio a pessoa experimenta, pois se encontra mais em contato com o divino.

— Então não existe problema?

— Troque a palavra problema por oportunidade, estímulo e tudo muda de figura.

— É verdade. Você disse que não há vítima?

— Nem culpado.

— E no caso do assassino que matou um inocente?

— Se não existe vítima nem culpado, também não existe inocente. Quando você tacha alguém de inocente, fatalmente culpa alguém. Para as esferas superiores está tudo certo. Elas têm seus propósitos que muitas vezes não compreendemos e não aceitamos. Jesus não disse: “não condeneis para não serdes condenados”?

— Disse.

— Pois bem, a lei que você fizer pro outro será a lei que o julgará.

— Ainda estou em dúvida sobre o assassinato.

— É que as pessoas só enxergam o que se passa no momento e de forma muito superficial. Elas desconhecem o fato de que há todo um passado envolvido. Não necessariamente entre o assassino e o morto, mas cada qual precisa da experiência dolorosa. O acontecimento é apenas o desfecho de algo que se arrasta há muito tempo, até de outras vidas.

"Para a Vida, a morte é tratada como um fato qualquer, como um casamento, uma formatura, uma viagem, pois em espírito ninguém morre. Todos são eternos, apenas trocam de frequência e de veículo, isto é, de corpo. A pessoa morre, vai para o astral e depois encarna de novo. O que importa é a evolução espiritual. Se os espíritos do assassino e do morto sentem que ambos precisam desenvolver algo muito importante, a Vida une os dois. Se você verificar, a Natureza, que é o próprio Deus, também faz coisas horríveis e muito cruéis. Veja quantas crianças morrem soterradas num terremoto ou até queimadas pelas lavas de um vulcão, sem a mínima chance de defesa, e nem por isso as pessoas ficam revoltadas. Ficam chocadas, mas não revoltadas. Deus trata o homem como parte da Natureza, faça o que fizer. Ele sabe de tudo o que vai acontecer, mas nem por isso intervém. A morte não é tida como um mal, mas como uma bênção, seja ela de que espécie for.

— A reencarnação é uma coisa fantástica.

— A reencarnação é uma necessidade e uma demonstração da generosidade divina, pois a pessoa sempre terá nova chance. Já pensou se não houvesse a reencarnação, a pessoa ter que decidir a qualidade de sua eternidade em apenas alguns anos? Uma vida, por mais longa que seja, não passa de alguns anos. Aliás, não dá nem pra comparar com a eternidade. E aqueles que nascem em condições totalmente adversas, inseridos na pobreza e no crime, seriam menos privilegiados que os que nascem em berço de ouro, com toda a educação e facilidades disponíveis? Deus não estaria sendo injusto com eles? Quando uma pessoa muito ignorante pratica atos violentos, na próxima vida virá com um novo cérebro que não se lembrará de quem foi e do que fez no passado, o que facilitará tremendamente seu processo evolutivo. Porém, não estará livre das consequências de seus atos. O assassino, por exemplo, levará em sua memória celular o fato traumático, muita culpa e, se não resolver isso no astral, resultará, na encarnação seguinte, em experiências dolorosas. Não é um castigo divino, como muitos dizem, e nem pagamento de carma, mas o fato de ser responsável pelo que fez. Tudo, absolutamente tudo o que acontece de bom ou de ruim é de responsabilidade da pessoa.

— Por isso algumas crianças já nascem com problemas de saúde ou contraem doenças graves?

— Isso mesmo.

— É aquilo que você falou sobre onde tem ignorância tem dor?

— Exatamente. E a pessoa só pode sair da ignorância pela dor, pois não entende outra linguagem. Se entendesse, não seria ignorante e não estaria sofrendo.

— E se alguém invadir meu espaço, me agredir? Não faço nada, já que sou o responsável?

— De forma alguma. Se alguém te agredir, te roubar, não aceite passivamente. Use todas as armas de que dispuser pra se defender ou garantir seus direitos, pois a passividade é um indicativo de fraqueza, de falta de domínio, de ausência de poder. A autorresponsabilidade é uma atitude interior de você com seu espírito. Passadas as emoções, recolha-se em seu silêncio interior e responsabilize-se pelo ocorrido, liberando o agressor, sem culpá-lo, julgá-lo, condená-lo nem manter desejo de vingança. Assim, você não abrirá mão de seu poder e perceberá que toda revolta e raiva se dissiparão. Você não ficará ligado a ele, mesmo que ele fique em você. Outra coisa: quando você sedimentar a crença na autorresponsabilidade, a vida deixará de ser agressiva com você, porque o exterior é o reflexo do interior.

— Então, eu sou responsável por ter atraído tudo o que aconteceu na minha vida, inclusive meus pais?

— Cem por cento, mas nós não somos só o eu consciente. O eu consciente é apenas a mínima parte de quem somos. Somos corpo mental, espírito, alma, corpo físico, corpo astral e muito mais. Sobre o conjunto de tudo isso é que recai a responsabilidade. Isso é uma coisa maravilhosa!

— Por quê?

— Porque o poder fica todo com a gente.

— Como?

— Assim como a gente tem o poder de atrair o ruim, também tem o poder de atrair o bom. Quando responsabiliza o outro pelo que ocorre a você, está delegando a ele seu poder.

— E como eu faço pra atrair só coisas boas?

— Eis a informação mais importante de todas que passei até hoje pra você e que encerra todo o poder: tudo o que você atrai pra sua vida é resultado de suas crenças e atitudes. Crenças boas atraem coisas boas. Crenças ruins atraem coisas ruins. E você pode mudar suas crenças e atitudes quando quiser. Tudo está ao seu alcance. A crença é a causa e sua realidade é o efeito. O exterior é o reflexo do interior. Por isso procurar mudar a realidade pra viver bem é um equívoco. Não há como mudar o resultado. É necessário mudar a causa, a fonte, que está dentro da pessoa.

— Na Bíblia está escrito que o reino de Deus está dentro de nós.

— Perfeitamente. E o que Jesus disse a São Pedro quando lhe entregou a chave?

— Tudo que ligar na Terra será ligado no céu e tudo que desligar na Terra será desligado no céu.

— Percebeu? Ligar é crer, e crer é dar importância, ou seja, importar. Desligar é tirar a importância, desvalidar. Ah, isso é bobagem! E quando Jesus fazia um milagre o que ele geralmente dizia pra pessoa curada?

— "Tua fé te salvou".

— E o que mais?

— "Vai e não peques mais".

— Está vendo? Essas frases se alinham ao que eu disse. Quando você tem fé e acredita, acontece. E a pessoa estava naquele estado lamentável porque pecou, ou seja, estava na ignorância e era responsável por ter atraído aquela situação pra si.

— Caramba! Jesus já sabia de tudo isso?

— Sabia muito mais. É que a história deturpou e desvirtuou muitas verdades que ele disse. Apenas agora os estudiosos estão descobrindo o verdadeiro sentido de muitas de suas palavras.

— E quem não tem fé?

— Todo mundo tem cem por cento de fé. É que em geral as pessoas colocam a fé no negativo: que não conseguem, que a vida é dura, que a vida é uma luta. Então a vida delas se torna muito sofrida. A fé é fé. Não importa se temos fé nas coisas boas ou nas coisas ruins.

— Minha avó e minha mãe são assim. Colocam muita fé nas coisas negativas

— Não é? Está convencido agora de que não há vítimas, nem coitados?

— Sim.

— Como podemos ter pena de alguém que tem todo o poder dentro de si? Quando você olha pra alguém, por mais lastimável que seja sua situação, com sentimento de pena, piedade ou dó, está tirando todo o poder que Deus deu pra ele. Está rebaixando mais ainda a condição dele. Está sendo pretensioso achando que Deus errou com ele. Por que será que Deus permite que ele passe por aquela situação? Por que temos que corrigir Deus?

"Todos somos iguais em potencial, porém diferentes nas manifestações individuais. Uns já desenvolveram certas habilidades, têm a consciência mais expandida, outros não porque ainda não chegou sua hora. Um dia chegará, tenho certeza, por mais ignorantes que sejam, pois todos somos filhos do mesmo Pai e um dia todos experimentarão o paraíso. O inferno é passageiro, o céu é eterno. A expansão da consciência individual é fatal e não opcional, tal como a expansão do universo que não há como obstar.

"O paraíso não é um lugar a ser frequentado depois da morte por aqueles que foram bons para os outros aqui na Terra. Tudo tem a ver com as crenças individuais e o controle da mente, paulatinamente. Já lhe falei sobre isso. O tempo que levará não importa, porque somos eternos e você sabe que os cientistas já disseram que o tempo não existe. A eternidade não é um tempo sem fim lá no futuro. A eternidade é a ausência do tempo. É um *continuum.*

"Quando você encontrar um mendigo, uma pessoa doente, alguém passando necessidade, sofrendo muito, olhe pra ele com os olhos da alma que não julgam, e não com olhos imediatistas, e perceba que ali tem uma pessoa com poder dentro de si, como você e todo mundo têm, que ela está passando por aquela experiência momentaneamente pra desenvolver alguma faculdade e que está onde se põe e onde precisa estar.

"Assim, você não estará tirando o poder dela. Não estará colocando-a ainda mais pra baixo. Ao contrário, estará elevando-a. Estará trocando a pena e a piedade por um sentimento muito sublime que vem da alma, chamado compaixão. Sua energia dirigida a ela não será tóxica, mas nutritiva. A alma dela perceberá e tratará de instigá-la a mudar de crenças e atitudes, melhorando, consequentemente, sua vida e a vida dela. Essa é a verdadeira ajuda, pela qual todos ganham."

— Barba, quando ouço você dizer essas coisas, parece que eu já sabia delas, e fazem tanto sentido...

— E já sabia mesmo. Tudo está dentro de você. Eu só estou lembrando-o. Nosso espírito é infinitamente sábio e sabe de tudo, pois ele é a ligação direta com Deus. Por isso todo mundo é Deus se manifestando. O eu consciente é a parte do espírito na consciência, por isso que, quanto mais expandirmos nossa consciência, mais o espírito, que é pura liberdade e poder, se expressará.

— Um dia ainda vou escrever um livro falando disso tudo.

— Você vai escrever vários.

— É mesmo? Está falando sério?

— Sim. Mas, por favor, não escreva o óbvio, a mesmice.

— Pô, Barba! Nem precisava dizer, porque não tem nada de óbvio no que você fala.

— Eu sei que não precisava. Disse apenas pra ficar marcado, pois, por mais que a gente saiba, a mente tem hábitos e comete deslizes. Quanto à sua mãe, faça o que estiver a seu alcance, sem se envolver com as emoções dela e sem se sacrificar. Boa noite!

— Boa noite, Barba, e muito obrigado mesmo!

Cristiano foi dormir eufórico pensando em tudo que acabara de ouvir, por isso o sono demorou a chegar.

37

Cristiano decidiu arrumar um psicólogo para a mãe, que a encaminhou a um psiquiatra. Com a medicação, ela sentiu grande melhora e começou até a falar em trabalhar fora. Ele percebeu que ela já podia ouvir algumas verdades.

— Mãe, você quer que eu pergunte lá na escola se tem alguma vaga?

— Sei lá, filho. Estou há tanto tempo sem trabalhar.

— Você pode pegar algum serviço de auxiliar que não exija experiência. O importante não é o salário, mas sua saúde.

— É. Pode ser.

— Amanhã mesmo vou falar com o diretor.

— Tá certo, filho.

— Mãe, sabe o que o Barba me disse?

— O quê?

— Que conversou com seu guia sobre você.

— Conversou com meu guia? Quem será ele, meu Deus? O que foi que ele falou?

— Que não pode interferir no que você está passando.

— Por que não? Pelo que sei, os guias existem pra nos ajudar.

— Eles ajudam até certo ponto. Quando a pessoa teima em não querer mudar, eles a deixam sofrer, porque a dor é o único estímulo disponível pra pessoa se mexer. A ajuda se resume numa orientação, principalmente durante o sono. Quando a pessoa é muito irresponsável, nem isso eles fazem.

— Credo! E o que mais ele disse?

— Que você está mimada e agindo como uma criança.

— Nossa! Disse isso? Nunca pensei que eu fosse mimada.

— Falou que você espera que os outros resolvam seus problemas.

— Ele pegou pesado, hein?

— A verdade pesa, mas resolve. Chega de mimo, né, mãe?

— Até você?

— Pois eu vou falar mais uma coisa.

— Mais ainda?

— O Barba disse pra eu não ter pena, que isso faz mal, tanto pra mim como pra você.

— Faz mal como?

— Nós ficamos tóxicos e as energias trocadas são de péssima qualidade.

— Isso eu já percebi. Meu Deus! Quanta coisa eu não sabia!

— Não falei pra você que onde tem ignorância tem dor?

— Acho que estou começando a entender. O psicólogo também andou me dando umas broncas. No início estranhei, mas depois percebi que ele estava certo. Sabe, meu pequeno terapeuta, estava aqui pensando. Acho que vou dispensar o psicólogo e passar a consultar você.

— Nem vem, mãe! Quando quiser fazer alguma pergunta até pode, mas continue lá com seu psicólogo. Depois, você não teria condições de me pagar, porque eu iria cobrar muito mais que ele.

— Você teria coragem de cobrar da própria mãe?

— Pelo menos o dobro do que cobraria de outra pessoa. Não é nada fácil ser terapeuta da mãe e seu caso é muito complicado...

— Chato!

Cristiano foi feliz para o seu quarto porque sua ajuda começava a dar resultados. Nada o fazia mais contente que ajudar alguém. Quando surgia uma oportunidade, aproveitava com satisfação, fosse através de dinheiro, de uma lição da escola, de um favor ou de um conselho. Apanhou a Bíblia e a abriu aleatoriamente, caindo na parábola dos talentos. Cristiano a leu e ficou pensativo.

— Oi, Cristiano.

— Oi, Barba. Que bom que você apareceu!

— Desta vez vim sem você pedir, porque vejo que o assunto em que está envolvido é muito interessante.

— Que assunto?

— A ajuda.

— É. Fiquei contente porque parece que minha mãe está tomando um rumo.

— Você gosta muito de ajudar os outros, não é?

— Muito.

— E, quando sua ajuda não resolve, como você se sente?

— Incapaz e frustrado.

— Antes de ajudar alguém, você precisa primeiro se ajudar.

— Como?

— Sentir-se incapaz e frustrado é uma autoagressão. É se julgar e se condenar. É pura pretensão e orgulho. Pra ajudar, você precisa ser impessoal, ou seja, não se envolver emocionalmente no caso. Lembra que não há vítima nem coitado? E que cada um é responsável pelo que atrai pra si?

— Isso ficou bem marcado.

— Pois bem. Se sua ajuda não resolveu, é porque a pessoa não estava preparada pra recebê-la.

— É mesmo, Barba.

— Existe uma ciência pra ajudar os outros, senão, em vez de ajudar, acaba atrapalhando mais. Muitas pessoas estão com sua casa completamente bagunçada e querem arrumar a dos outros. A verdadeira ajuda começa arrumando-se a própria casa. Assim, a energia boa se propaga afetando quem estiver em volta.

— Você já disse isso.

— Pois é. A primeira coisa a se observar quando se pretende ajudar alguém é se há realmente vontade de ajudar. Com obrigação e sacrifício não se ajuda ninguém. Em segundo lugar, é preciso dar o que a pessoa pede. Se um bêbado pede pinga, não lhe ofereça um pão ou um sermão. Ele está cansado de ouvir besteiras e não resolveu nada e você ainda corre o risco de ser mandado para... você sabe onde.

— Sei — respondeu Cris, dando uma gargalhada. — E o que faço nesse caso?

— Dê pinga, uai!

— Mas não vou fazer mais mal ainda?

— Vou repetir: você não é responsável pelo bem ou pelo mal que acometer o outro. O que ele mais quer é pinga. O que a bebida causar a ele não interessa a você. Ele é responsável por sua vida.

— Sempre me esqueço disso. O conceito da autorresponsabilidade é muito novo pra mim.

— É assim mesmo. Com o tempo ficará automático. Quanto ao bêbado, se não quiser dar-lhe pinga, você tem a alternativa de dizer não. Mas, pelo amor de Deus, não lhe ofereça um pão ou um sermão no lugar!

— Tá, tá!

— Outra coisa. Pra ser uma verdadeira ajuda, você precisa deixar que a pessoa peça, senão é intromissão na vida dela. É falta de educação.

— Costumo fazer muito isso.

— Eu sei. Essa mania que você tem de ajudar, de ser bonzinho acaba atrapalhando, pois tira da pessoa a oportunidade de crescer por si só.

— Mesmo quando sei que ela está precisando e que eu posso ajudá-la?

— Mesmo assim. Ela que deixe seu orgulho de lado e peça ajuda.

— Por fim, pra ajudar é preciso dar só se estiver sobrando. Não pode tirar de você pra dar ao outro. Se tirar de você, estará dando um recado à vida: "Pode tirar de mim!" Na verdadeira ajuda todos têm que ganhar. Sentir-se bem é melhor que fazer o bem. Sentir-se bem fazendo o bem é o máximo.

— Por isso que se sacrificar pelo próximo faz muito mal?

— Exatamente. Quem se sacrifica pelo outro acredita que o sacrifício é um bem. Como a crença é o que conta, a vida sempre vai responder com esse suposto bem, ou seja, com mais sacrifício.

— E as pessoas que escolhem só ajudar os outros, como, por exemplo, uma irmã de caridade?

— É um trabalho como outro qualquer. Um engenheiro, ao exercer sua profissão, também ajuda. Vai depender dela, de como se sente com o que faz. Se gostar do que faz, vai colher os frutos. Mas, se ela se sacrifica achando que Deus um dia irá recompensá-la por isso, está na ignorância. Deus não diferencia o trabalho de caridade de outro qualquer. Depois que a pessoa morre o que conta é o que ela fez para si e não para os outros. Ninguém vai ficar bem por causa dos outros, mas por sua causa. Só rezando, fazendo caridade e se sacrificando pelos outros não fará com que alguém se dê bem no meu mundo. Quem reza continua rezando. Quem pede continua pedindo. Quem se sacrifica continua se sacrificando. Quem é que vive bem? Eu já lhe disse isso.

— Quem tiver o controle da mente.

— É mais fácil um camelo passar pelo buraco de uma agulha que uma mente descontrolada entrar no reino de Deus.

— Como posso controlar a mente?

— Não se deixando levar pelas ilusões, pelas paixões, pelas emoções. Você, seu eu consciente, é que precisa gerenciá-la: isso eu quero, isso não quero. Isso é importante, isso é bobagem. Isso sou eu, isso não sou eu. Se você deixar a mente vagueando ao sabor do pensamento, no automático, fatalmente ela tenderá à morbidez e você cairá.

— Já percebi isso.

— Se aqui no seu mundo é assim, quando chegar ao astral piorará, porque a matéria de lá tem mais plasticidade devido à força de coesão dos átomos e moléculas ser menor, fazendo com que as ilusões se materializem mais rápido. Chegando ao astral, tudo continua a mesma coisa, só que mais intensamente, até que a pessoa discipline sua mente e mude suas crenças e atitudes. Tem ateu aqui vivendo melhor do que quem passou a vida rezando, ajudando os outros, fazendo caridade, porque tem o controle mental.

— Então, pra que serve pedir perdão a Deus?

— Pra absolutamente nada. Muitas pessoas pedem perdão a Deus pelos erros cometidos, achando que terão o céu após a morte. Isso é pura fantasia. Deus não perdoa nem condena ninguém. Tudo que a pessoa fizer, Ele não verá como um erro, mas como uma experiência válida, um aprendizado, pois foi tudo Ele que criou, e Deus não cria nada inútil. Você não ouviu dizer que Deus é infinitamente justo?

— Justo e generoso.

— Pois então? Ele é tão justo que deixa pra nós a tarefa do julgamento. Quem se culpar, se condenar, terá que pagar. É a crença dele. Quem se absolver estará absolvido. Cada qual que use a inteligência que Ele deu da maneira que lhe convier.

— Barba, eu estava lendo a parábola dos talentos e...

— Essa parábola é muito elucidativa para o nosso assunto. Leia, por favor.

— *"Acontecerá como um homem que ia viajar para longe. Chamando seus empregados, entregou-lhes seus bens. A um deu cinco talentos, a outro dois e um ao terceiro. A cada qual de acordo com a própria capacidade. Em seguida, foi viajar. O empregado que havia recebido cinco talentos trabalhou com eles e lucrou outros cinco. Do mesmo modo, o que havia recebido dois lucrou outros dois. Mas aquele que havia recebido um só, saiu, cavou um buraco na terra e escondeu o dinheiro. Depois de muito tempo, o patrão voltou e foi ajustar contas com os empregados. O empregado que havia recebido cinco talentos entregou-lhe mais cinco, dizendo: 'Senhor, entregaste-me cinco talentos. Aqui estão mais cinco que lucrei'. O patrão disse: 'Muito bem, empregado bom e fiel! Como foste fiel na administração, eu confiar-te-ei muito mais. Vem participar da minha alegria'. Chegou também o que havia recebido dois talentos e disse: 'Senhor, entregaste-me dois talentos. Aqui estão mais dois que lucrei'. O patrão disse: 'Muito bem, empregado bom e fiel! Como foste fiel na administração, eu confiar-te-ei muito mais. Vem participar da minha alegria'. Por fim, chegou aquele que havia recebido um talento e disse: 'Senhor, eu sei que és um homem severo, pois colhes onde não plantaste e recolhes onde não semeaste. Por isso, fiquei com medo e escondi o teu talento na terra. Aqui tens o que te pertence'. O patrão respondeu-lhe: 'Empregado mau e preguiçoso! Sabias que eu colho onde não plantei e que recolho onde não semeei. Então devias ter depositado o meu dinheiro no banco, para que, no meu regresso, eu recebesse com juros o que me pertence'. Em seguida o patrão ordenou: 'Tirai-lhe o talento e dai-o ao que tem dez. Porque, a todo aquele que tem, será dado mais, e terá em abundância. Mas ao que não tem, até o que tem lhe será tirado. Quanto a este empregado inútil, lançai-o lá fora, na escuridão. Ali haverá choro e ranger de dentes'* (Mt 25,14-30)".

— O que você achou?

— Não entendi muito bem o que Jesus quis dizer com: "ao que não tem, até o que tem lhe será tirado".

— Essa parábola tem vários ensinamentos, mas acho que o mais importante é exatamente o da sua dúvida. Não costumam explicar o significado disso. Você percebeu que o patrão não teve pena dele?

— Percebi.

— Ele não precisava se desdobrar pra lucrar apenas mais um talento, pra obter a mesma recompensa dos outros dois. Sua recompensa seria a mesma. Só bastava ganhar mais um. Quem nunca teve uma moradia, sua alegria ao construir um cômodo de alvenaria talvez seja até maior que a do príncipe da Inglaterra ao construir mais um palácio.

— Tem a ver com o que você disse sobre não haver vítima nem coitado?

— Isso mesmo. Deus não priva ninguém de talentos. Agora, cada qual que faça do seu o que bem entender. Uns aproveitam, outros enterram.

— Você disse que Deus não castiga. O que enterrou seu talento não foi castigado?

— Não castiga, mas eu disse também que Deus não protege a ignorância e que cada um é responsável pelo que lhe sucede, lembra?

— Lembro.

— A única forma de ele aprender é experimentando mais dor. Sem esse estímulo ele ficaria cada vez mais relapso, relaxado, mimado e sua inteligência, ou capacidade, por mínima que fosse, não seria estimulada a se desenvolver.

— Então, dependendo do caso, pra ajudar, em vez de dar é melhor tirar da pessoa?

— Se você não tiver coragem de tirar, pelo menos não dê.

— Há governos que costumam dar aos pobres. É o mesmo caso?

— Não só os governos, mas muitas pessoas fazem isso visando a uma recompensa ou das pessoas, como consideração, ou de Deus. Na verdade estão atrapalhando e alimentando mais a ignorância, a vagabundagem, a falta de iniciativa e o comodismo. Os governos precisam investir na promoção social por meio da educação e da geração de empregos. Assim, as pessoas se sentirão mais dignas e haverá cada vez menos ignorância e pobreza. Em consequência, elegerão políticos competentes, que por sua vez investirão mais na educação, na geração de empregos, e assim por diante, e todos ganharão cada vez mais.

— Mais uma coisa, Barba.

— Diga.

— Quando você falou que na verdadeira ajuda todos ganham e que quem se sacrifica pelo próximo está perdendo...

— Continue.

— Deduzi que não existe amor incondicional.

— Na verdade, tudo no universo é troca. Esse negócio de fazer sem interesse é pura balela.

— E aqueles que ajudam e preferem ficar no anonimato?

— No mínimo fazem isso pra se sentir bem, o que já é uma condição, uma troca. Muitos esperam a recompensa divina futura, o que não terão, porque Deus não barganha com ninguém e não faz nada a prazo. Outros costumam doar aos pobres pra encobrir alguma culpa, principalmente aqueles que já estiveram em condições semelhantes e hoje estão na fartura. Sempre haverá um motivo, uma condição pra pessoa fazer algo por alguém, por isso ninguém faz nada desinteressadamente.

— Mas e o amor de mãe?

— Aquilo que chamam de amor de mãe é o que mais apego encerra, pois o filho costuma ser tudo pra ela. Ela espera tudo dele. E se ele a abandonar? Como ela vai se sentir? O que ela vai dizer? O verdadeiro amor está longe disso, porque o amor libera. Claro que há mães lúcidas que praticam o verdadeiro amor. Acontece o mesmo com a paixão que muitos chamam de amor. Existe algo mais aprisionador que a paixão? A paixão é inversamente proporcional ao amor, pois enquanto o amor libera a paixão aprisiona.

38

Aos dezoito anos, cursando pós-graduação, Cristiano era um dos rapazes mais bonitos da Califórnia. Seu sucesso e sua fama mundiais não se restringiam à área da Ciência. A convite de Hollywood participou como ator coadjuvante de um filme indicado para o Oscar. Porém, isso lhe tomara tanto tempo que acabou prejudicando suas pesquisas, o que o motivou a recusar outros convites. Sua verdadeira paixão era a pesquisa científica sobre ondas e magnetismo, que estava muito avançada.

Com o dinheiro ganho com palestras, com seu site — um dos mais visitados —, com o filme e com a exploração de sua imagem em comerciais, conseguiu sua independência financeira. Precisou mudar para um local mais reservado devido aos fãs, principalmente às fãs e aos paparazzi. Morava com a mãe e empregados numa mansão em Santa Mônica. Quando viajava ao Brasil, preferia não divulgar para evitar alvoroço. Depois de Jackeline, tivera pelo menos quatro namoradas.

Ana Maria deixou o serviço que Cris havia arrumado para ela na escola e passou a trabalhar para o filho. O emprego rendeu-lhe saúde e um namoro que já durava dois anos.

Com as broncas do filho e do psicólogo, já dispensado, amadurecera visivelmente. Embora não tivesse esquecido Caio, já lidava melhor com o assunto. No momento, sua maior preocupação era dona Cândida, que não andava bem de saúde devido à diabetes avançada, necessitando, às vezes, de duas doses diárias de insulina. Depois que Robinson deixou a fazenda, seu estado se agravara. Com a ajuda financeira e aconselhamentos do sobrinho, por ocasião de uma visita que os dois fizeram juntos pela Califórnia, Robinson e André mudaram para São Paulo, onde trabalhavam e estudavam.

A primeira coisa que Cristiano fez ao completar dezoito anos foi comprar uma poderosa moto *top* de linha da marca mais famosa do mundo. Ele até já poderia ter tirado a habilitação aos dezesseis, mas havia algumas restrições como, não poder dirigir numa *highway*, que era o que ele mais queria, então não se interessou. Também fez uma bela tatuagem no ombro esquerdo com um motivo neozelandês. Sua maior diversão era pegar a moto no sábado de manhã em direção ao Arizona, ouvindo rock clássico, para visitar o Grand Canyon. Não trocava isso por nada deste mundo. Geralmente ia com uma garota, mas às vezes preferia ir só.

Naquele sábado, antes do nascer do sol, desacompanhado, tomou a estrada em direção a Sedona, passando pelo Grand Canyon. Ia participar, como convidado, de um evento de médiuns — *channels* como se dizia por lá — que canalizavam espíritos elevados. Tais espíritos tratavam de assuntos ligados à metafísica moderna e à espiritualidade avançada, que despertavam grande interesse em Cristiano.

Nunca tinha visitado Sedona, apesar de muito ter ouvido falar. Ao se aproximar da cidade, ficou fascinado com as paisagens deslumbrantes e com a forte energia que pairava no ar. Quando chegou ao local do encontro, como sempre, foi muito assediado. A casa, construída num lugar especial, permitia uma visão ampla de toda a região. Cris sentiu-se em casa. Tudo lhe parecia familiar, as pessoas, as conversas.

Cristiano não era médium de incorporação. Em compensação, sua clarividência aguçada permitia-lhe ver os espíritos presentes que aguardavam o momento de incorporar.

— Oi, Cris!

— Barba, você por aqui?

— Achou que eu ia perder uma festa como esta?

— Que coisa tudo isso aqui, hein?

— Este é um lugar muito especial.

— O lugar, as pessoas, os espíritos, um mais lindo que o outro! Olhe só a aura daquele!

— É Saint Germain.

— Me pareceu tão familiar! Ele já sorriu pra mim duas vezes.

— Saint Germain foi São José numa de suas encarnações.

— São José? O pai de Jesus?

— Sim.

— Meu Deus! — exclamou Cris, com os olhos marejados de emoção.

— Veja só aquela mulher que acaba de chegar.

— Nossa Mãe! Nunca vi tanta beleza! Sua aura é indescritível. Ela também tá sorrindo pra mim!

— Você acertou. É nossa Mãe.

— Como nossa Mãe?

— Nossa Mãe, que você tanto admira.

— Não vai dizer que é...

— É isso mesmo! Maria.

Cristiano, extasiado, não disse uma só palavra e pôs-se a chorar feito criança.

— Você quer falar com algum deles?

— E... e... eu... eu... posso?

— Claro que pode. Se quiser, é só manifestar sua vontade pelo pensamento.

— Não sei... se tenho coragem.

— Claro que tem.

Antes que Cris decidisse, um dos médiuns se concentrou para receber um espírito. O primeiro a se manifestar foi Saint Germain.

— Agora é melhor não, Cris, senão você provoca interferência.

— Claro! Claro! E eu quero ouvir o que ele tem a dizer.

***

Após o encontro, Cristiano resolveu permanecer na cidade até o dia seguinte. Tanto o que vira como o que ouvira tinha mexido demais com ele. Não conseguia tirar tudo aquilo da mente. Sentava aqui, acolá, com o olhar no horizonte, pensativo. A todo instante agradecia a Deus por ser clarividente e pela oportunidade que tivera.

Os acontecimentos do dia e a forte energia do local, mais as trazidas pelos espíritos levaram seu sono para longe. Cris aproveitou para pôr tudo no papel. Sua vontade, mais do que nunca, era divulgar tudo o que vira e aprendera. Quantas verdades profundas! Quanta coisa diferente das que conhecia! Quanta gente iludida sofrendo na ignorância!

Lá pelas tantas da madrugada, teve um *insight.*

— Barba? Você pode me atender?

— Eu estava aqui do seu lado observando.

— Desculpe incomodar, mas estava aqui pensando...

— Não precisa se desculpar. Se eu não puder ou não quiser, não venho. Pode falar.

— É sobre minhas pesquisas.

— Sei.

— Você me disse uma vez que a Ciência lá no seu mundo é muito mais avançada que a daqui.

— Muitíssimo mais. Os computadores de última geração de vocês pra nós são sucata. Primeiro tudo acontece no astral, depois os cientistas encarnam e levam o conhecimento pro seu mundo, sempre respeitando a conveniência e o estágio da Ciência de vocês.

— Acho que a Ciência daqui tem evoluído bastante.

— Também acho. Mas aonde você quer chegar?

— Seria possível um cientista de lá me ajudar nas pesquisas?

— Seria.

— Eu falaria com um desses médiuns que conheci hoje, lhe pagaria muito bem e ele incorporaria o cientista que me passaria as dicas. O que você acha?

— Que ideia genial! Amanhã você conversa com o médium e eu vou falar com o cientista. Conheço um aqui que é cobra no assunto.

— Eu pago o médium e você paga o cientista, certo? — propôs Cris, cuja gargalhada foi acompanhada pela do Barba.

— Barba, eu fiquei impressionado com a beleza das auras dos espíritos.

— Você não viu nada.

— Como? Há outras mais lindas?

— Eles se mostraram discretamente.

— Discretamente? Aquilo era discreto?

— Sim. Quando eles vêm aqui mais próximos da matéria costumam ser mais reservados pra não atrapalhar. De outra forma você não conseguiria vê-los. Mas, quando estão na frequência deles, em ocasiões especiais, se apresentam com todo seu esplendor, que, se você conseguisse ver com esses olhos, piraria.

— É mesmo? Meu Deus! E como será a aura de Cristo então? Você já a viu?

— Não só vi, como senti.

— Sentiu como?

— Fica difícil pra eu explicar isso a você que vibra na matéria densa. Fora da matéria a sensibilidade aumenta assustadoramente. Então você é só sensação. Você sente o carisma, o magnetismo dele, é tomado por uma energia, uma magia, um estado de bem-aventurança que o corpo material nunca experimentou.

— Cada coisa, hein, Barba? Que coisa é o mundo energético! Que coisa é o ser humano!

— Que coisa louca é Deus! Porque o ser humano é feito à imagem e semelhança Dele, não é? Por isso a gente vai se descobrindo aos poucos. Se nos fosse revelado quem somos, tudo de uma só vez, não teríamos estrutura e explodiríamos. Lembra do que Saint Germain falou?

— Claro que me lembro! Tim-tim por tim-tim. Estava agora mesmo anotando: que a gente é Deus Se revelando, que Deus Se expressa, Se sente e Se vê através da gente e de toda Sua obra; que somos a extensão Dele; que quando eu faço é Deus fazendo através de mim; que quando eu sinto é Deus sentindo por meio de mim, por isso que tudo que as pessoas fazem tem um propósito e pra Ele está perfeito. Eu sou um espaço onde Deus brinca.

— Que maravilha! Com esse ponto de vista, tudo muda de figura, não é?

— É mesmo. Agora acredito, mais do que nunca, que não há vítima, nem réu, nem juiz, nem inocente, nem pobre coitado; que pena, piedade e dó são pura bobagem.

— E quanta energia você não economiza só com essa nova crença e atitude!

— Melhor ainda! Vira compaixão.

— Está aprendendo rápido, hein?

— Também com um professor desses!... Barba, você tem aura?

Barba soltou uma sonora gargalhada.

— Claro que tenho. Até galinha tem — respondeu enquanto os dois morriam de rir.

— Eu... eu... sei. Eu vejo nas pessoas. Percebo quem está bem e quem não está. Já aprendi a fazer essa leitura.

— Por falar nisso, você está muito bem, hein?

— Modéstia às favas!

— Você é muito engraçado e espirituoso!

— Eu quis dizer se você não tem uma aura como eles? Eu vejo a sua, mas parece tão mixuruca...

— Você não vai querer que eu apareça como um pavão, né? — disse Barba dando mais risadas. — Não seria nada prático. Um dia você vai ver. Por hoje, chega de emoções.

Se antes Cris não conseguia pegar no sono, depois desse diálogo ficou praticamente impossível!

39

Ana Maria estava estupefata com o que ouvira do filho.

— Mãe, estou escrevendo um livro. É tanta informação bacana que eu preciso divulgar!

— Que bênção, meu Deus! Meu filho escritor... E pra você não será difícil arrumar uma editora.

— Vou procurar a melhor dos Estados Unidos. Quero escrever de uma forma que atinja principalmente jovens e adolescentes.

— Uai! E os outros?

— Também. Quem tiver olhos pra ler que leia.

— Hum! Está falando como um profeta!

— Minha intenção não é convencer nem provar nada a ninguém. Quem tem crenças arraigadas e definitivas é porque ainda precisa delas. Tudo é útil. Algumas pessoas preferem não mudar pra não sofrer, enquanto outras preferem mudar pra melhorar ainda mais. Cada um tem um ponto de vista.

— E o que mais lhe chamou a atenção naquilo que ouviu no evento?

— Praticamente tudo foi importante, mas três coisas mudaram completamente minha maneira de pensar e uma é decorrente da outra. Saint Germain disse que cada ser é a manifestação de Deus no seu devido grau de consciência. Apesar de todos sermos Um, cada um é o Todo individualizado.

— Claro!

— Como claro? Não é tão evidente assim. Acho que você não tomou consciência da extensão dessa afirmação.

— E o que quer dizer, então?

— Que eu, você, a vó, a montanha, a galinha, o mar, a barata, a lua, somos o próprio Deus individualizado.

— Eu e a galinha somos Deus?

— Somos todos uma Coisa só. Nada está separado. Somos Deus tomando consciência de Si nas individualidades. Antes do Big Bang tudo era só potência. Tudo era inconsciente. Então Deus quis Se revelar na matéria pra Se ver, Se expressar, e constantemente faz isso através de tudo. Ou seja, do caos inicial tudo vai se revelando e se organizando. E cada um de nós é também um pequeno universo que vai se organizando, conforme adquirimos conhecimento e tomamos consciência. Onde há ignorância, há caos, trevas, dor. Onde tudo está organizado, é porque há lucidez, então experimentamos a liberdade, a alegria, a paz, a prosperidade etc.

— É uma visão diferente.

— Completamente. Se somos Deus, tudo que fazemos é perfeito. O que é ruim e provoca dor é apenas o caos que ainda não foi organizado. Esse é o segundo ponto que me chamou a atenção.

— Então ninguém erra?

— Não. As pessoas fazem só o que sabem e podem fazer, conforme seu grau de consciência. Ninguém pode fazer o que ainda não sabe.

— Mesmo os que matam?

— Sim. Se matam é porque estão no caos, na ignorância. Quem morre tragicamente também. Como cada um é responsável pelo que lhe ocorre, está tudo certo. A vida junta os dois pra que ambos aproveitem a mesma experiência.

A Natureza também está se organizando e muitas vezes se mostra muito cruel, tanto que ela mata a todo instante. O homem não está separado da Natureza. Para a sabedoria divina a morte não é como a vemos. É tida como uma oportunidade de crescimento, apenas uma experiência, marcante sem dúvida, pra aprendermos a sair do próprio caos. Não há morte, já que somos eternos. Morre hoje, nasce amanhã. O espírito nunca morre. Só troca de corpo.

— Nossa! Que coisa! Ninguém erra com ninguém!

— Daí decorre a terceira questão. Se ninguém erra com ninguém, o perdão se torna sem eficiência.

— Credo! O que é isso? Sempre soube que perdoar é sublime.

— Mãe, se cada um atrai pra si as experiências pelas quais precisa passar pra desenvolver suas capacidades, suas virtudes, suas faculdades, no sentido de cada vez mais organizar sua vida e expandir sua consciência, então ninguém precisa perdoar ninguém. Se ninguém erra com ninguém, ninguém precisa se desculpar nem perdoar.

— Faz sentido.

— E mais, ele disse que, quando alguém diz "eu te perdoo", está afirmando que o outro errou com ele. Está fazendo um julgamento. Isso é orgulho. Só o orgulhoso perdoa. E se o outro errar de novo? E se errar dez vezes? Vai passar a vida perdoando? Geralmente, com o perdão vem o recado: "mas não faça mais isso comigo, tá?".

— Isso é completamente inédito: só quem tem orgulho perdoa...

— E quando alguém pergunta "você me perdoa?", significa que se considera inferior e culpado e que o erro é um mal. Mesmo que o suposto infrator o perdoe, não adianta nada, porque seu espírito entende que é devedor, pois errou e fatalmente será cobrado. Além disso, está delegando seu poder a outro.

— Você disse que cada um atrai pra si aquilo de que precisa?

— Sim. O Barba já havia me dito isso. Quando eu me responsabilizo por ter atraído as situações na minha vida, não quer dizer que os outros possam fazer de mim gato e sapato e tudo bem. Saber dizer "não" também é uma virtude. Se me sentir invadido, vou usar a inteligência, me valendo do que estiver disponível no momento pra garantir meus direitos e minha proteção. Porém, depois de passada a emoção, preciso me recolher ao meu silêncio interior e me responsabilizar pelo fato.

"Saint Germain disse ainda que, quando transcendemos o perdão, conscientes de que o outro não foi responsável pelo que de desagradável nos ocorreu, estamos praticando uma das mais belas virtudes, que é a verdadeira humildade, e tendo os mais nobres dos sentimentos: o verdadeiro amor e a compaixão. Então, não iremos mais atrair a agressividade dos outros. Sublime é não precisar perdoar.

"Veja que interessante, mãe. Estou lembrando de um texto que li certa vez, mas na época não entendi muito bem. Agora entendo-o perfeitamente. O título do texto era: *Sócrates dizia que o ser humano não sabe errar.* Nele Sócrates faz a seguinte colocação: 'Entre duas maçãs, uma colhida na hora, bela, suculenta, apetitosa, e outra meio murcha colhida há uns dias, qual delas a pessoa sempre escolhe?'"

— A colhida na hora, é óbvio.

— Não é tão óbvio assim.

— Como não? Pra mim é.

— Depende das circunstâncias em que você se encontrar. Se você estiver sozinha, obviamente escolherá a mais suculenta. Mas, se estiver acompanhada de alguém que deseja muito conquistar e, pra isso deverá dar-lhe de presente uma das maçãs, com qual das maçãs você o presenteará?

— Com a mais bonita.

— E com qual você ficará?

— É mesmo, filho. Que interessante!

— Vamos supor, agora, que você tenha aprendido na Metafísica que a vida a trata como você se trata e não como você trata os outros, e que tenha tomado essa afirmação como uma grande verdade. Em idêntica situação, certamente você escolheria a melhor maçã, porque se escolhesse a pior a vida faria com que você não conquistasse a pessoa. Ou seja, o ser humano sempre faz o que mais lhe convém.

— Poxa, filho! Agora deu pra ser filósofo também?

— Mãe adora fazer isso pra ter a atenção dos filhos. Quantas vezes eu vi você pegar o pedaço menor ou pior, deixando o melhor pra mim. Ou, então, se tinha só um pedaço, me dava.

— Fazia mesmo.

— E o que você ganhava com isso?

— Seu carinho, sua atenção, sua compreensão, sua admiração...

— Nada disso. Me lembro que eu sentia pena de você e às vezes pensava como você era boba. A criança não diz, mas pensa isso.

— Credo, filho! Você sentia isso?

— Mas você não errou, estava certa. Pra você, minha atenção era mais importante que o pedaço maior. Hoje, depois deste papo, provavelmente você vai escolher o pedaço melhor.

— Por falar em pedaço, vamos sair pra comer uma pizza?

— Só uma? Com a fome que eu estou...

— Mas com uma condição.

— Tudo bem. Pode impor sua condição.

— Que o melhor pedaço seja meu.

— Está ficando espertinha, hein?

40

Cristiano combinou com Barba e com o médium de Sedona, Mr. Scott, de se reunirem em sua casa uma vez por semana para tratar da pesquisa sobre ondas e magnetismo. Preferia fazer as reuniões fora da universidade para evitar especulações, mesmo porque seus colegas e professores estranhariam sua atitude. Cris nunca comentara sobre sua mediunidade com ninguém. Estava curiosíssimo e ansioso para saber, pela primeira vez, o que um cientista morto teria a dizer a respeito do seu mundo e da Ciência lá. Mr. Scott e Cris se concentraram preparando o ambiente para a chegada de Barba e do cientista.

— Boa noite, Cris! Boa noite, Mr. Scott — disse Barba telepaticamente.

— Boa noite, Barba — respondeu Cris da mesma forma. — O Barba acaba de chegar e o está cumprimentando, Mr. Scott.

— Boa noite, Barba. Seja bem-vindo.

Mr. Scott era médium de incorporação, mas não era clarividente nem clariaudiente.

— Daqui a pouco chegará Mr. Albert, um especialista na sua área de pesquisa — completou Barba.

— Estou muito curioso pra conhecê-lo e falar com ele.

— Você vai ter uma surpresinha...

— Não me deixe mais ansioso ainda...

— Está certo. Pode entrar, Mr. Albert.

Ao perceber a figura que acabara de aparecer através da porta, Cris ficou de boca aberta, para estranheza de Mr. Scott.

— O que foi, Cris?

— Mas esse é o... o... o...

— Albert — disse Barba —, Albert Stein.

— Meu Deus! Stein?

— O que foi, Cris? — insistiu Mr. Scott.

— Você não faz ideia de quem está aqui.

— Quem?

— Mr. Albert.

— Mas quem é Mr. Albert?

— Albert Stein.

— Verdade?

— Vivinho, em carne e osso — completou, ainda boquiaberto.

— Quanta honra! Boa noite, Mr. Stein. Seja bem-vindo — cumprimentou Mr. Scott —, espero que minha mediunidade esteja à altura pra que o senhor se expresse sem dificuldades. Estou à disposição.

— Tenho *certessa* que sim — respondeu Stein, com forte sotaque alemão, cuja resposta foi transmitida por Cris.

Barba se divertia com a admiração de Cris, que se levantou e teve um impulso de abraçar Albert Stein. Chegou a abrir os braços, mas se conteve, fazendo os dois espíritos rirem bastante.

— *Extamos* em frequências *diferrentes*, se esqueceu? — disse Stein.

— Caramba! Que honra! Sou seu admirador desde pequeno. Sempre desejei ser seu aluno — falou Cris em voz alta, para que Mr. Scott também pudesse ouvir.

— *O* honra é *todo meu* e eu *tampém* sou seu fã há *muita* tempo.

— Uai! Meu fã? Por qual motivo? Perto de você...

A conversa de apresentação se arrastou por meia hora, com Stein já incorporado em Mr. Scott, para que ele também ouvisse o que os dois diziam. Cris quis saber detalhes da vida atual do cientista. Após esse tempo, começaram a tratar do assunto técnico. A aula demorou duas horas e Cris ficou entusiasmado, gravando tudo para, durante a semana, praticar no laboratório da universidade.

Uma coisa tinha ficado clara: se fosse bem-sucedido nas pesquisas teóricas, na prática as imagens do astral poderiam aparecer no monitor de um computador ou mesmo numa tela de televisão, mas deveria haver um dispositivo próprio no aparelho para transformar os sinais. Se não fizesse essa adaptação, seria impossível, pois a tecnologia da Terra ainda desconhecia o tipo de onda emitido pelos aparelhos do astral. As antenas de televisão seriam inúteis, bem como os satélites. Era preciso inventar um captador externo de ondas que as enviaria para o transformador de sinais. Esse aparelho não precisaria ser colocado num lugar alto, pois as ondas atravessariam qualquer material sólido e estariam por todo canto, uma vez que no astral já tinham desenvolvido a tecnologia e enviado os sinais para cá havia muito tempo.

Outra questão que tinha de ser levada em conta era o áudio. Seria fascinante se a imagem aparecesse acompanhada das vozes e dos sons. Stein adiantara que era mais fácil captar o som de lá do que a imagem. Pediu a Cris que primeiro investisse na tecnologia de som. Se tudo desse certo, ao contrário do cinema, o som viria primeiro que a imagem. Bastaria um pequeno ajuste nos aparelhos e os dois seriam captados simultaneamente.

Cristiano mais do nunca estava envolvido nas pesquisas. Fazia mil planos para sua eventual futura descoberta.

Barba lhe dissera certa vez que os museus do astral eram reais. Dissera que até o cheiro era da época em que acontecera o fato. Assim, o visitante entrava numa sala e assistia às cenas exatamente como ocorreram.

Barba afirmara que absolutamente tudo que acontece com o ser humano desde sempre fica gravado nos arquivos do astral, pois tudo foi, é e será perfeito. Eles usam muito esses arquivos como técnica terapêutica. Aos que já têm adquirido certo grau de desenvolvimento mental e espiritual, é permitido ver seu passado, incluindo diversas encarnações, principalmente aquelas com ocorrências traumáticas ou fatos em que a pessoa ficou muito indignada e revoltada, cujas consequências negativas permanecem emperrando sua evolução. Então, ela tem a oportunidade de ver como e por que aconteceu daquela maneira, do seu ponto de vista, do ponto de vista do seu guia, da sociedade e da espiritualidade. Assim, consta como tudo foi perfeito e como a visão imediatista se equivoca. Uma vez reconhecidas e aceitas a perfeição e a pertinência dos fatos, os traumas, as mágoas, as indignações e as revoltas deixam de existir, sendo deletadas da memória celular e a pessoa se cura definitivamente.

"Se pudermos — conjeturava Cris — captar imagens dos museus do astral, poderemos ver como foi realmente a história de Jesus que, segundo Barba, foi muito diferente daquela que nos foi passada. Poderemos ouvir sua voz e ver exatamente como ele ensinou. Quantas fantasias transmitidas pelas religiões sobre a vida após a morte não irão por água abaixo? Quantos benefícios pra humanidade não trarão essas informações? Quantas lendas bíblicas não cairão por terra? Quantos medos não terão mais sentido? A morte será encarada de uma forma totalmente diferente e, somada ao fato de os familiares poderem ver seu ente querido no astral, irá diminuir muitíssimo o sofrimento pela perda de alguém.

Quanta ignorância não será desfeita e, consequentemente, quanto será reduzido sofrimento?

Será uma total revolução nos conceitos morais, psíquicos, espirituais e religiosos. Haverá um avanço sem precedentes na História. As religiões que quiserem sobreviver terão que investir apenas no que lhes compete, deixando o que ocorre com a morte, o pós-morte e com o nascimento pra Ciência, uma vez que se trata apenas de frequências energéticas diferentes. E o que compete às religiões? Ensinar a prática das coisas verdadeiras do amor, do desapego, do orgulho, da vaidade, da humildade, da espiritualidade etc., pra que a pessoa exercite sua pureza no sentido de ficar mais leve interiormente e vibrar numa frequência melhor, tanto na matéria como no astral, já que o exterior é o reflexo do interior. *A César o que é de César e a Deus o que é de Deus*."

Stein e Cristiano sabiam que era perfeitamente possível transformar seu sonho em realidade, uma vez que era do conhecimento deles que tudo que ocorria no astral mais cedo ou mais tarde ocorreria aqui, sempre respeitando nosso ritmo. Stein, do mesmo modo, sabia que, com o avanço que tivera a Ciência na Terra nas últimas décadas, já era possível que tal tecnologia fosse descoberta por aqui. Porém, só isso não bastava. Era preciso também respeitar a evolução das crenças, da moral e da ética da humanidade, pois o impacto poderia ser muito forte na mente das pessoas. Para sua alegria, ele teve permissão superior para transmitir o conhecimento. Mas Stein não podia fazer por Cristiano. Podia ajudar dando dicas sobre onde pesquisar, mas nunca fazer. Cris teria que descobrir por si. Os guias agem assim em todas as áreas da vida, inclusive na Ciência.

41

Mesmo envolvido em suas pesquisas científicas, Cristiano não deixava de lado as questões afetas à metafísica e à espiritualidade. Achava que um campo era tão importante quanto o outro, pois diziam respeito ao conhecimento que faz expandir a consciência, isto é, trazer a lucidez que é o oposto da ignorância, que por sua vez é a responsável pelo sofrimento. Uma vez que sua maior realização consistia em ajudar os outros fazendo aquilo de que gostava, ele via nessas áreas uma possibilidade muito grande de atingir seus objetivos. Além disso, pretendia, com as descobertas, ganhar muito dinheiro para investir na educação e na promoção social das pessoas. Por falar nisso, ele já tinha aberto a Fundação Cristiano e mantinha, na periferia de Belo Horizonte, duas escolas totalmente equipadas e gratuitas para crianças sem família ou de famílias com baixa renda, e uma para recuperação de dependentes químicos. O número de empregados, professores, médicos e psicólogos que trabalhavam na Fundação ultrapassava cem.

Enquanto lia um livro sobre prosperidade, emergiram questões que sempre lhe intrigaram: "Por que na pobreza há tanto sofrimento e até certa simpatia pelas pessoas pobres?

Por que muitos veem o dinheiro como um mal, se ele traz tantos benefícios à humanidade? Por que Jesus disse que "*é mais fácil um camelo passar pelo buraco de uma agulha do que um rico entrar no reino de Deus?*" e "*bem-aventurados os pobres em espírito, pois deles é o reino de Deus?*".

— Essa é uma tarefa pro Superbarba!

— Tô aqui.

— Barba...

— Não precisa explicar. Já captei o que você quer saber. Primeiro, o dinheiro em si não faz mal nem bem. É neutro como qualquer outra coisa, como um filho, uma namorada, uma faca, um carro, a energia atômica. O que faz bem ou mal é a maneira como as pessoas se relacionam, lidam com ele. Uma faca pode cortar os legumes, mas também pode matar.

— Então, tudo é neutro?

— Tudo. Um filho pode ser uma bênção, mas também pode ser uma encrenca dependendo de como os pais se relacionam com ele.

— Por que Jesus...

— Quem garante que o que Cristo disse é exatamente o que está na Bíblia? Nesses dois mil anos tanta coisa foi manipulada, desvirtuada pra atender a conveniências. O pobre, o ignorante, o sem cultura, o pecador, aquele que é tido como humilde é mais facilmente manipulado e dominado. As religiões, os governos se valeram muito dessas condições pra exercer seu poder, seu domínio ao longo da história e muitos se valem disso até hoje. Se fatos tão recentes estão cheios de mitos e inverdades, como a história de Tiradentes, que aconteceu quando a escrita já era bastante disseminada, imagine um acontecimento ocorrido com tantos ensinamentos, quando praticamente tudo era passado de boca em boca? As escritas dos evangelhos ocorreram somente após o ano 65. Ademais, as traduções nunca conseguem reproduzir exatamente a versão original. Ainda mais de uma língua tão diferente como o aramaico, a língua que Jesus falava, com expressões muito peculiares. Soma-se a isso o fato de a Bíblia, até chegar às línguas modernas, ter passado pelo grego e pelo latim. Muita coisa se perdeu ou foi mal interpretada nessa trajetória. Como pode ser bem-aventurado um pobre de espírito, se o espírito é só riqueza e abundância? Riqueza interior e riqueza exterior."

— O exterior é reflexo do interior.

— Pois é. O exterior não está separado do interior. É tudo uma coisa só. Sua realidade é uma extensão de você.

"O espírito não aprova a pobreza. Quem está na pobreza está na ignorância, nas trevas, na dor, portanto, distante do seu espírito que é pura lucidez. O espírito é infinitamente rico em tudo: em dinheiro, em sabedoria, em saúde, em relacionamentos, em harmonia, em realizações e sua vontade é que o eu consciente de cada um permita a expressão na matéria de quem ele é da forma mais abrangente possível. Por isso ele não gosta do pouco, do remediado, do apenas suficiente, do mais ou menos. Afinal de contas é através dele que flui toda a abundância e generosidade divinas. Como é possível alguém se contentar com pouco sendo o herdeiro de Deus, o dono do universo? Então, ser pobre não é espiritual. Lembra da parábola dos talentos?"

— Quem tinha só um e enterrou perdeu esse também para o que tinha mais.

— O espírito é pura beleza e não combina com a pobreza, que é feia. O material não é o oposto do espiritual, mas o complemento. Quem não for rico em espírito não entrará no reino de Deus.

— Também acho. Se a gente tomar como verdade certas colocações que nos foram passadas, Cristo nos parecerá incoerente.

— Exatamente.

— Obrigado, Barba! Que maravilha!

***

Com a independência financeira do filho, Ana Maria ia mais vezes visitar a mãe, que não estava bem de saúde. Apesar de ter toda a assistência possível, seu estado era irreversível e inspirava muitos cuidados. Seu sofrimento não era tanto devido à doença, mas à solidão que sentia com a distância dos filhos. Reinaldo e Izabelle, que moravam na cidade com seu casal de filhos, tinham-na convidado para morar com eles, mas ela não quis sair do seu canto de jeito nenhum. A companhia constante de duas enfermeiras que se revezam não aliviava sua solidão.

— Fia, agora que o Cris cresceu, cê podia vortar pra cá.

— Não posso, mãe. Tenho muito trabalho pra fazer lá e gosto do que faço. Se eu voltar, vou fazer o quê? Aí eu é que vou ficar doente.

— E você não pensa na sua mãe?

— Claro que penso. Penso até demais. Por isso estou aqui.

— Mas amanhã cê vai embora e eu fico aqui largada.

— Largada, mãe?

— É a cruiz que tenho que carregar. Já vi que vou morrer aqui abandonada.

— Pare de se lamentar, mãe! Ninguém a abandonou. Assim você fica mais doente ainda. — E dirigindo-se à enfermeira, Aninha perguntou: Ela tem tomado os remédios direitinho?

— Tem, sim, dona Ana.

— O da depressão também?

— Também.

— Amanhã falaremos com o psiquiatra pra ver se precisa aumentar a dose.

— Sim, senhora.

Essa foi a última vez que Aninha viu sua mãe viva. Um mês depois de seu retorno da Fazenda Santa Luzia, recebeu a notícia da sua morte. Na companhia do filho, veio para o funeral. Felizmente sua cabeça não era mais a mesma de tempos atrás. Claro que sentiu a morte da mãe e chorou muito, mas com os conhecimentos que obteve do filho a respeito da morte, encarou bem a situação. Em outra época ficaria prostrada no sofá por semanas, amargurando tristeza, saudade e culpa por ter abandonado a mãe. Mais uma vez pôde comprovar, para a alegria do filho, que só havia uma coisa responsável pelo sofrimento: a ignorância.

— Mãe, você amadureceu tanto!

— Você acha? Por quê?

— Por várias razões. Você não fica mais pegando muito no meu pé, não é mais aquela carente que ficava chorando pelos cantos, quase sempre está alegre, disposta, animada, não se importa tanto com o que os outros vão dizer... Achei que você ia desabar com a morte da vó.

— É. Também acho que mudei bastante.

— Também, com este filho que você tem...

— Lá vem ele de novo. Você é muito convencido, isso sim!

— Sou mesmo!... Mãe, sei que é muita pretensão minha, mas às vezes acho que o Barba é Jesus. Os guias às vezes se revelam por outro nome pra não incharem o ego da gente.

— Será, filho? Seria uma bênção! Não duvido, não. Mas por que você acha isso?

— Ele fala de um jeito tão especial... Ele tem mansidão nas palavras, usa expressões que Jesus usava, lembra a imagem dele, sabe tudo dele...

— Por que você não pergunta, uai?

— Tenho medo de me decepcionar e constrangê-lo. E se não for?

— Que bobagem, filho! Nem parece que isso saiu de sua boca!

— Eh, mãe! Viu como você aprendeu?

— Se quiser se aconselhar comigo, estou à disposição e não cobro nada, viu, seu mercenário?

— Deus me livre! Eu quero é evoluir e não regredir...

— Sem graça! Sai pra lá que eu preciso cuidar da minha vida.

42

Com vinte e dois anos, Cristiano já era PhD em Física. Recusara diversas ofertas excelentes de emprego, pois preferia trabalhar por conta própria, sem ficar sujeito a horários, reuniões e prestação de contas. Recusara inclusive cadeiras de professor nas mais conceituadas universidades do mundo. Não abria mão de seu precioso tempo dedicado às pesquisas científicas e espirituais. Muito mais que a obtenção do título de PhD, festejou a descoberta, na teoria, através de fórmulas, das ondas Scott e Stein. Deu esses nomes às ondas que possibilitariam a transmissão do som e da imagem do astral, em homenagem aos amigos, respectivamente.

Stein contou a Cris que a comunidade científica do seu mundo acompanhava atenta e entusiasticamente suas pesquisas e torcia por seu sucesso, pois o desenvolvimento de nossa Ciência implica o desenvolvimento da deles. Por isso fizeram uma grande festa comemorando a descoberta de Cristiano e achavam que estava muito perto sua comprovação na prática. Os cientistas daqui não entendiam ainda muito bem o significado prático de tais ondas, por isso não deram muita atenção ao fato.

Cristiano gostava de trabalhar para levar lucidez às pessoas, diminuindo a ignorância e consequentemente o sofrimento. Mas não só a dor dos humanos preocupava Cristiano. A dos animais também. Ele pensava que se diminuísse a ignorância das pessoas, os animais se beneficiariam também. Assim, fundou a ONG ATG — Animal Também é Gente —, que mantinha em São Paulo, sob os cuidados de Robinson e André. Era um canil com capacidade para mil cães e gatos abandonados. O local era muito procurado por pessoas que queriam adotar animais. Também preocupado com os animais silvestres que possuíam sequelas devido a maus-tratos, abriu um zoológico na cidade de Uberlândia, equipado com o que existia de melhor em veterinária. Os que se recuperavam totalmente eram reintegrados à natureza. Sua intenção era espalhar esse tipo de assistência pelo Brasil e posteriormente pelo exterior.

No que dizia respeito a sofrimento de animais, uma das coisas que mais revoltava Cristiano era o anzol. Ele achava que os peixes eram os animais que mais sofriam na natureza em decorrência da ignorância humana, principalmente a tal de "pesca esportiva".

Foi pensando nisso que Cristiano desenvolveu uma campanha no seu site, e já conta com milhares de adeptos em todo o planeta contra o uso do anzol na pesca, com ênfase na pesca esportiva. Para chamar a atenção e despertar a consciência para o fato, o slogan era: *Peixe também sente,* e a imagem, o logotipo, era um peixe segurando uma vara de pesca curvada com um pescador fisgado de olhos arregalados.

Um dia, revoltado com a resposta de um pescador "esportista" tentando justificar sua façanha, Cristiano resolveu pedir ajuda porque aquilo ficava martelando em sua mente, prejudicando sua concentração no laboratório.

— Por que tanta indignação, Cris? Fala!

— E não é pra ficar? Eles acham que peixe é um animal totalmente diferente dos demais. Só porque é silencioso e não grita de dor, não quer dizer que não sinta como os outros. Imagina, Barba, um anzol preso na guelra ou engolido por um peixe com peso às vezes de dezenas de quilos sendo puxado por uma linha contra a resistência da água! Absolutamente nada justifica divertir-se com o sofrimento alheio. Quer pescar pra comer ou comercializar? Utilize uma rede, uma tarrafa ou qualquer equipamento que não provoque tanta dor. E há aqueles que pescam e depois jogam o peixe fora porque dá trabalho limpar ou simplesmente não gostam de comer peixe. E a falácia da "pesca esportiva"? É preciso acabar com essa barbárie sem precedentes no mundo animal. Não entendo por que algo tão cruel ainda não foi banido pelos governos. Quem pratica isso que chamam de esporte só pode estar doente da cabeça e necessitando de tratamento psicológico. Uma vez ouvi um adepto justificando sua idiotice dizendo que o peixe não sofre porque o anzol é especial e que pega na guelra, não perfurando o animal. Parece até que o peixe, ao ver o anzol com a isca, procura ajeitá-lo na sua boca e depois dá um sinal através da linha: "agora pode puxar!". Não seria o caso de trocar os papéis? O peixe pescando o pescador pra provar que não machuca?

"Após longo tempo de luta contra a dor e a morte, às vezes horas, o peixe finalmente chega às mãos do feliz pescador. Muitos até nem gostam que seja rápido demais. Puxam e soltam a linha várias vezes pra sentir mais o prazer mórbido da resistência do peixe. Com o animal completamente exausto e extenuado às mãos, sofrendo por falta de oxigênio, após fotografá-lo, filmar pra passar na TV, ou mostrar aos amigos seu grandioso feito, o pescador tem um ataque súbito de generosidade e devolve o animal com todo amor e carinho às águas. Se o peixe ferido tiver a sorte de estar sangrando, e houver um cardume de piranhas por perto, morrerá rapidamente. Caso contrário, agonizará lentamente, sofrendo com aquela terrível dor porque, infelizmente, o pescador nunca se lembra de levar em suas tralhas de pesca um antibiótico, um anti-inflamatório ou um analgésico. Não é possível! Eu não me conformo, Barba!

"Felizmente já existem muitas campanhas contra a diversão à custa de animais, como em circos e shows. Em alguns lugares inclusive a legislação proíbe. Por que será que não fazem o mesmo com os peixes, cujo sofrimento é infinitamente maior que o desses animais? Por acaso o peixe não é um animal? É um toco? Uma pedra que não berra e não grita? Ou quem sabe pertença a uma espécie insensível privilegiada por Deus que o privou da dor só pro homem se divertir?"

— Calma, Calma, Cristiano! Já disse tudo? Já desabafou? Essa sua indignação só o prejudica.

— Mas é muita insensatez!

— Para o pescador, você é que não tem bom senso.

— Eu?

— É.

— Como pode ser bom senso se divertir com o sofrimento do animal?

— Já não lhe falei que tudo está certo, no seu devido grau de evolução?

— Já. Mas é muito difícil aceitar uma coisa dessas.

— Não adianta resistir à ignorância dos outros. Quem briga com os ignorantes está sendo um deles. Está no mesmo nível energético e sintoniza o mesmo tipo de vibração densa. Por isso você não consegue se concentrar. Você já saiu de lá e de vez em quando volta. Aquela energia pesada vibra na sua aura e você se perturba.

— Já pensei nisso, mas não consigo...

— Quando a gente aprende uma verdade superior, costuma se irritar com quem ainda permanece na crença antiga. Isso é orgulho e pretensão. Não se rebaixe ao mesmo nível.

Não dê seu poder a eles. Seja mais elegante não usando a mesma arma. Seja diferente. É o diferente que sobressai. Seja a ovelha negra e você vai se destacar entre milhões de ovelhas brancas. Só tem sucesso quem é diferente, porque a vida abomina a mesmice. Se você já tem consciência de algo superior, seja paciente com quem ainda não conseguiu. Eles já nasceram com esse hábito de pescar, passam para os filhos como uma diversão e acham isso normalíssimo. Está longe da consciência deles que se trata de uma terrível violência. Você também já esteve lá e achava aquilo perfeitamente normal. Cada um vai tomando consciência no seu devido ritmo e tempo.

Depois desse alerta do Barba, Cristiano caiu em si e entendeu mais ainda que tudo estava certo. Continuaria cada vez mais investindo no seu site, denunciando a violência contra os peixes, mas seria mais paciente e compreensível com a ignorância alheia, não se envolvendo em energias tão prejudiciais.

43

— Mãe, gosto tanto do meu nome... Por que você escolheu Cristiano?

— Foi interessante. No começo da gravidez, quando nem sabia ainda seu sexo, acordei um dia com o nome Cristiano na cabeça. Achei tão lindo! Passei o dia pensando nele. Daí em diante tive certeza de que seria um menino e que se chamaria Cristiano.

— O Barba disse que a gente atrai tudo, até o nome.

— Eu acredito que sim.

— Acho que, enquanto você dormia, meu espírito ficava no seu ouvido: Cristiano... Cristiano... Cristiano...

— E se eu acordasse com o nome de Fulgêncio?

— Ou Asteroide Bizarro?

— Ou Tropicão Carne e Osso?

— Ou Rolando Escada Abaixo...

— Ou Déé...ci..o Piiinto... — e os dois riam a ponto de quase perder o fôlego, dizendo qualquer nome que vinha à cabeça. Até Um Dois Três de Oliveira Quatro foi lembrado.

Após o ataque de riso, ainda enxugando os olhos, Cristiano perguntou:

— Mãe, você acredita em tudo que está na Bíblia?

— Em algumas coisas sim, em outras não. Por quê?

— O Barba me disse que ela foi muito modificada pra atender a conveniências e eu concordo com ele.

— Tem muita coisa que é preciso ser interpretada.

— Eu sei, mas tem muita coisa que é explícita.

— Como? Dê um exemplo.

— O Deus do Antigo Testamento.

— Como assim?

— Eu acredito que quando se diz que Deus fez o homem à Sua imagem e semelhança, está certo, porque somos a extensão Dele. Mas acho que o homem inverteu e fez Deus à imagem e semelhança do homem.

— Interessante esse ponto de vista.

— Esse Deus mais parece um pai sem virtudes, rigoroso, autoritário, injusto, cruel, opressor, sem compaixão e longe de ser sábio, onisciente, onipotente, onipresente e infinitamente justo e bom. É um Deus muito pequeno e limitado que tem um povo só.

— Credo, filho!

— Como pode um Ser infinitamente bondoso proteger um povo e perseguir outro?

— Onde você leu isso?

— Nas sete pragas do Egito, quando o faraó não deixava os hebreus partirem. Por acaso os egípcios não eram também filhos de Deus? Já que Deus é sábio, bondoso e poderoso, não haveria uma forma mais fácil e inteligente pra eles deixarem o Egito sem precisar mandar tanto castigo, sendo que a última e decisiva praga foi a morte dos filhos primogênitos?

— Foi muito cruel mesmo.

— Depois, no deserto, quando já haviam deixado o Egito e Moisés recebeu as tábuas da lei, qual era o quinto mandamento?

— Qual era não, qual é? "*Não matar*".

— Pois então. Quando Deus soube que os israelitas estavam adorando um bezerro de ouro, disse a Moisés: "*Deixa, pois, que se acenda minha cólera contra eles e os reduzirei a nada"*. Diz-se que depois Ele se arrependeu das ameaças que tinha proferido contra seu povo. Como pode Deus se arrepender? No mínimo não é onisciente. Em outra passagem é relatado que Moisés encolerizado mandou matar irmão, amigo, parente. Na ocasião, cerca de três mil homens foram mortos, sendo que ele tinha acabado de receber as tábuas da lei em que um dos mandamentos era *"não matar"*. Tem cabimento?

— É muito contraditório.

— Há diversas passagens contraditórias. Estou falando só das mais conhecidas. Se Deus é o criador do tempo, infinitamente sábio, que sabe do passado, do presente e do futuro, não sabia que o homem poderia agir assim? Pra que tanta ira, tanta crueldade? Outra coisa: que pai exigiria de um filho seu que matasse o próprio filho pra provar sua fé?

— Você fala do episódio de Abraão?

— É. Deus não quer prova de nada de ninguém, e, se por acaso quisesse, encontraria uma forma sem violência e mais sábia.

— E como seria o verdadeiro Deus pra você?

— Acho que a melhor definição de Deus, se é que Ele pode ser definido, é uma que está no livro *Revelação da Luz e das Sombras*. Ele diz:

"Hoje, quando penso em Deus, não surge a figura de um homem lá no céu, nem do vento me vigiando aqui na Terra. A pequenez de nosso aparelho mental está longe de definir Deus em sua totalidade, mas a ideia que tenho Dele hoje é infinitamente mais ampla que a que tinha antigamente. A definição que mais se aproxima para mim é que o Espírito Uno é como uma Onda Inteligente que permeia tudo em todas as dimensões. É a Fonte de Vida, O que faz existir. É uma Onda Cósmica Energética multidimensional que dá sentido a tudo, que está vibrando em tudo, inclusive em nossos pensamentos, em nossos atos, nas atitudes dos animais, dos vegetais, das pedras, da água, do fogo, do ar.

É algo totalmente estruturado, um Comando Geral que não está observando, mas existindo, sentindo, vivendo. Hoje sinto verdadeiramente que sou a concretização, a individuação Dessa Onda Infinita. Trata-se de algo mais abstrato, mas ao mesmo tempo mais perceptível, mais palpável, mais real.

Agora olho para mim e me vejo sagrado. Me sinto muito mais livre. Essa Força agora vive em mim. O Deus que era estranho agora faz parte da minha intimidade. É uma sensação que me credencia à extraordinária conexão Universal. É uma Força Energética que me organiza, me estrutura como ser humano que me faz perceber individual, com um corpo coeso, diferente de um inseto, de uma pedra, da água, da minhoca, de um corpo astral, e ao mesmo tempo com uma leve sensação de que faço parte deles. Há um sentir novo que aproxima Deus das sensações físicas. Um Deus que deixa de ser um homem e Se torna homem nos homens, mulher nas mulheres, animal nos animais, objeto nos objetos.

Hoje entendo que o Espírito Uno é infinitamente justo. Ele é tão justo que não inventa nenhuma lei. Deixa para eu, para você inventá-las. Ele não condena nem absolve ninguém. Larga essa incumbência para a gente. Se nos condenarmos, teremos que pagar. Se nos absolvermos, teremos a liberdade"[2].

— Que lindo, filho!

— Não é, mãe? Esse Deus com as características que nos foram transmitidas não existe. É uma ilusão. É um Deus inventado pelas pessoas com a cabeça que tinham na época.

— Eu concordo.

— Se não bastasse, inventaram um diabo, que era pra botar mais medo ainda nas pessoas. A Bíblia está cheia de pecados, medos e ameaças. Felizmente no Novo Testamento tem muita coisa bacana.

---

2 Trecho do livro *Revelação da Luz e das Sombras*, de Luiz Gasparetto e Lúcio Morigi, publicado pela Editora Vida & Consciência.

— Você não acredita no diabo?

— Claro que não, mãe! Que bobagem! Não vai dizer que você acredita?

— Nunca questionei isso.

— Se o diabo existisse, Deus não seria poderoso. Como pode Deus ter um concorrente? Era só dar uma bifa divina na cabeça dele que já era.

— E tomar cuidado pra não machucar a mão.

— Por quê?

— Por causa dos chifres — respondeu Aninha dando uma gargalhada. — Peguei você, seu... inteligente.

— Tá certo. E sabe de uma coisa?

— O quê?

— Esse diabo que inventaram era mais confiável que Deus. Pelo menos ele só fazia o mal. Já Deus, não. Diziam que era bondoso, generoso, justo, que era do bem, mas de vez em quando soltava o porrete sem dó nem piedade.

— Se o diabo não existe, o que são pessoas possessas?

— São pessoas que atraem espíritos desencarnados muito perturbados. As pessoas acham que esses espíritos são demônios, mas são pessoas comuns que morreram, que estão na ignorância, nas trevas momentaneamente e um dia vão sair de lá. Seja quem for, sempre terá chances e mais chances de se reabilitar.

— Você disse que as pessoas atraem esses espíritos... Como?

— Pessoas de cabeça fraca, que não têm posse de si, que vivem se apoiando nos outros, que vivem culpando os outros pelo que de ruim lhes aconteceu, que não se valorizam, que se abandonam, ou seja, pessoas com seu poder nos outros. Os desencarnados perturbados percebem a brecha e aproveitam.

— E o que ganham com isso?

— Sugam energia do vivo e a pessoa fica com uma série de perturbações. Aproveitam pra sentir através da pessoa coisas daqui da Terra, como álcool e drogas. Aproveitam pra ajudar em trabalhos de vingança, pra prejudicar alguém. O contrário também é muito comum.

— O contrário?

— É. O vivo obsedando o morto.

— Como isso é possível?

— A pessoa daqui não se conforma com a morte de alguém e fica se lamentando, querendo algo dele, reivindicando sua volta. Então, o morto fica preso na pessoa e impedido de seguir adiante.

— Ui, credo!

— Mãe, não precisa estar morto pra obsedar alguém.

— Não?

— As obsessões mais perturbadoras ocorrem entre os vivos.

— De que jeito?

— Quando querem do outro a atenção, o amor, a admiração, o apoio, a aprovação, a valorização. Como não têm nada disso, procuram obter do outro. É de filho com mãe, de mãe com filho, entre amigos, entre colegas de trabalho, entre namorados, marido e mulher etc. É uma sugação de energia geral. Você mesma. Lembra como você me sugava? Isso era uma obsessão, e das grandes. Ainda bem que eu tinha minhas defesas, senão estaria perdido.

— Mas melhorei bastante, não melhorei?

— Também, depois de tantas broncas...

44

Cristiano tinha uma equipe de profissionais que cuidava de suas finanças e de seus negócios. Sua última grande aquisição tinha sido um jatinho com autonomia de oito horas e ele contratara um piloto particular. Assim, podia viajar tranquilamente pelo mundo todo.

— Filho, o Reinaldo ligou dizendo que a Fazenda Santa Luzia foi colocada à venda.

— É mesmo?

— Ele disse que o doutor Vasconcelos já está com certa idade, que pretende descansar e não quer mais ficar se preocupando com os problemas da fazenda.

— Mas... e o filho dele? Como ele se chama mesmo?

— Você esqueceu o nome dele?

— Ah, mãe! A gente nunca mais se encontrou, nunca mais conversamos sobre eles. Me lembro bem que simpatizei muito com eles e eles também gostaram muito de mim.

— É Caio.

— É mesmo! Caio. Ele não pode cuidar da fazenda?

— Não sei. Vai ver que ele não gosta. Sempre viveu em São Paulo. O doutor Vasconcelos, não. Passou até a adolescência numa fazenda.

— Se a fazenda for vendida, o tio Reinaldo pode ficar desempregado.

— É uma pena. Aquela fazenda me traz tantas boas recordações... O vô... a vó...

— Os namorados...

— Também... O lugar onde a gente nasceu, passou a infância, a juventude, fica muito marcado. Quando vejo uma cor, ouço uma música, sinto determinado cheiro ou gosto, na hora me lembro daquele lugar. Não consigo imaginar aquela fazenda com outro dono.

***

No dia seguinte, Cristiano, sem contar para a mãe, ligou para o tio Reinaldo e pediu que ele entrasse em contato com o doutor Vasconcelos dizendo que havia uma pessoa interessada na compra da fazenda. Fez uma oferta irrecusável, pedindo que não divulgassem o nome do eventual comprador. Pediu também que o tio guardasse segredo e que preparasse toda a papelada que, dentro de uma semana, ele viajaria para o Brasil.

— Mãe, prepare as malas que vamos ao Brasil.

— Uai! Por que essa viagem repentina?

— Me deu vontade, uai!

— E seus compromissos?

— Já verifiquei e não tem nada muito importante. Já pedi pra secretária rearranjar minha agenda.

— Ai, que coisa boa! É a primeira viagem ao Brasil de jatinho particular.

— A gente desce em São Paulo e depois vai de carro pra não chamar a atenção.

— Filho, você não gosta mesmo de se mostrar, né?

— Pra quê, mãe?

— Muita gente quer ser famoso, estar na mídia o tempo todo...

— Pra falar a verdade, não gosto de nada disso. Quando era mais novo, até curtia um pouco, mas agora prefiro ficar na minha. Gosto, sim, que meu trabalho apareça e dê resultados. Quanto mais, melhor.

— Mudando de assunto, e a namorada?

— Lá vem ela com o interrogatório... Que namorada, mãe?

— Aquela brasileira de Goiânia que foi com você a Sedona no último sábado. Ela é linda, né?

— É uma amiga. Já sei aonde você quer chegar. Pode perguntar.

— Eu não. Pra levar uma patada?

— Mãe, já disse que tô muito bem assim. Tá louquinha pra ser avó, não é?

— Vó? Eu?

— Pensa que sou bobo?

— Já vi que desse mato não sai coelho.

— E não sai mesmo.

Cristiano era um namorador contumaz, porém a palavra casamento não estava no seu dicionário. Não sustentava a ideia de que uma pessoa fosse exclusiva da outra, principalmente em se tratando de sexo. Era simpático à ideia de ter um filho, mas pretendia pensar nisso só depois dos trinta anos.

— Sabe o que o Barba me disse, mãe?

— O quê?

— Que ele tem duas mulheres.

— Duas? Deus do céu!

— Disse que a moral e a ética de lá não são como aqui.

— Como?

— Que lá tudo é permitido. Só depende da cabeça de cada um.

— E lá as pessoas também... também...

— Claro que fazem sexo. As necessidades biológicas continuam, como fazer sexo, comer, beber, que é pra manter as funções normais do organismo funcionando para a encarnação seguinte. Disse que não tem um espírito, por mais evoluído que seja, que não faça sexo.

— Nunca ouvi isso. E a mulher também pode ter quantos homens quiser?

— Claro. Depende da cabeça dela.

— Você disse que é pra manter as funções do organismo para a próxima encarnação? Não entendi.

— Tudo que o corpo da pessoa é, ou no que ela crê, fica registrado na memória celular e isso fica no corpo físico e depois no corpo astral.

— E como fica o corpo astral depois que a pessoa reencarna?

— Vem junto. Cada célula, cada átomo do corpo físico tem um correspondente no corpo astral. Antes de a pessoa reencarnar, ela começa a sentir muita sonolência e o corpo astral vai se reduzindo, se adequando aos poucos ao tamanho do bebê e depois ao da criança. É tudo muito bem assistido, como aqui, por ocasião do nascimento de um bebê. Ao contrário de quando se morre e o corpo físico apodrece, o corpo astral não morre. O corpo físico só sente porque tem o corpo astral junto. Quem sente é o corpo astral, também conhecido por perispírito.

— E em que momento ocorre a reencarnação?

— Não tem um momento exato. O Barba disse que a reencarnação acontece aos poucos e só se completa totalmente na adolescência.

— Nossa! Então a ideia de concepção muda radicalmente.

— Esse é um assunto para a Ciência e não para as religiões. Um dia nossa Ciência vai dominar essa área também, porque se trata de frequência energética.

— Que coisa interessante!

— Ele disse também que, dependendo da evolução espiritual, a pessoa pode até escolher seus futuros pais.

— É mesmo?

— A família, o país em que quer nascer, as condições sociais, financeiras, crenças religiosas. É como aqui. O bom profissional escolhe em que empresa quer trabalhar, não é a empresa que o escolhe. Quanto ao profissional mais ou menos, o que aparecer ele pega. Tem também a ver com a evolução e a afinidade com a família. Por isso muitos repetem a família. Por isso artistas geralmente nascem em família de artistas. Não é uma regra, mas é muito comum.

— Quer dizer que você me escolheu como mãe?

— Pra você ver...

— Eu sou poderosa... Pra ter um filho assim...

— Vai se achando, vai...

45

A viagem ao Brasil foi espetacular. Com uma escala em Manaus, sobrevoaram a Amazônia e puderam apreciar sua grandiosidade. Mais uma vez Cristiano pôde constatar como o país era abençoado. "Tudo o que o mundo mais deseja o Brasil possui: alimento, algodão, energia, água, florestas, praias, sol, tecnologia, espiritualidade, ciências, liberdade, beleza, animais, minérios, música, festas, dança, artes. E tudo o que o mundo mais teme não há aqui: furacões, terremotos, tsunamis, nevascas, desertos, guerras, terroristas, radicalismo religioso. Acho que fui eu que escolhi este país pra nascer. Na próxima encarnação quero nascer de novo no Brasil", pensou.

Em Pouso Alegre, Ana Maria pediu para ficar hospedada no hotel Alvorada Palace, enquanto os homens tratavam dos negócios. Quis ficar na mesma suíte em que ficara com Caio a primeira vez. A decoração não era a mesma, mas tudo ali lembrava aquele momento tão especial que permanecia muito claro em sua mente. Sentiu certa tristeza, mas ao mesmo tempo teve um sentimento de realização pelo que aquele feliz encontro proporcionou em sua vida com a vinda de Cristiano. Uma sensação de gratidão tomou conta do seu peito, e ela não conseguiu conter as lágrimas.

No cartório da cidade, os respectivos advogados, doutor Vasconcelos, dona Aurora e Caio aguardavam a chegada do comprador desconhecido. A tristeza era visível em seus semblantes por se desfazerem de um local que havia tanto tempo lhes pertencera e tantas coisas boas lhes proporcionara. Ao ler os termos da escritura, o doutor Vasconcelos perguntou a dona Aurora:

— Quem é Cristiano de Oliveira?

Caio sentiu um calafrio ao ouvir aquele nome e, antes que a mãe respondesse, interveio:

— Por quê, pai?

— É o comprador. Você conhece?

— Me dá aqui, pai — disse Caio agitado, já tomando os papéis da mão do pai. — Não acredito!

— O que foi, Caio? — perguntaram os pais ao mesmo tempo.

— Espere... — respondeu enquanto lia a filiação do comprador: ... *filho de Ana Maria de Oliveira e de pai desconhecido.* Os papéis tremiam em suas mãos.

— O que foi, filho?

No mesmo instante a porta se abriu e entraram Reinaldo e Cristiano, que usava óculos escuros. Caio, meio atordoado e não conseguindo dominar a emoção, largou os papéis sobre a mesa e se jogou nos braços de Cristiano, ante o olhar atônito dos presentes.

— Fiii...lho! Meu filho! — e caiu num choro incontrolável.

— Filho? — questionaram todos.

Sem entender o que estava acontecendo, Cristiano não correspondeu ao abraço de Caio na mesma intensidade.

— Filho! Você é meu filho!

— Seee...u filho?

— É. Sou seu pai, Cristiano! Seu pai! Cadê sua mãe?

Dona Aurora e doutor Vasconcelos quase tiveram um piripaque. Perplexos, tiveram que ser abanados e tomar um pouco de água. Reinaldo não sabia o que fazer.

— Mamãe ficou no hotel — respondeu Cristiano.

— Reinaldo, vá buscá-la.

— Pra quê, Caio?

— Vá buscá-la. Agora! Precisamos resolver essa situação.

— Vai, tio. Vai chamar a mamãe — confirmou Cristiano.

Um filme passou rapidamente na cabeça de todos e na medida do possível foram entendendo o que se passava. Cristiano tirou os óculos, fitou atentamente Caio e, então, o abraçou fortemente, caindo também no choro.

— Não precisa dizer mais nada... Neste abraço senti que você é meu pai — disse Cristiano ora abraçando, ora fitando os olhos do pai. Depois, olhou para os avós que permaneciam boquiabertos.

— Pai, mãe, este é o famoso Cristiano, seu neto — disse enfaticamente Caio.

— Pelo amor de Deus, filho! Você sabia o tempo todo? — interrogou dona Aurora sem tirar os olhos de Cristiano.

— Depois eu conto. Ele é seu neto, mãe! O Cristiano é seu neto, pai! É meu filho! Graças a Deus! — disse Caio chorando enquanto puxava o pai, a mãe e Cristiano, que também choravam, para um abraço.

Permaneceram ali minutos abraçados, para o espanto dos advogados e do escrivão, que se retiraram. Eram tantas indagações que tinham um para com o outro que não conseguiam abrir a boca. Quando finalmente se sentaram, aguardando impacientes, principalmente Caio, a chegada de Ana Maria, dona Aurora, com as duas mãos apertando a mão de Cristiano, lhe disse:

— Agora sei por que você nos causou tanta ternura quando nos encontramos no casamento da Izabelle.

— Eu também senti uma atração muito especial por vocês.

— Caio, meu filho, por isso que toda vez que falávamos no Cristiano você se incomodava, desconversava...

— É, mãe.

— Por que não me disse nada?

— Porque não tinha absoluta certeza.

— E você não perguntou pra Aninha?

— Perguntei, mas ela sempre negou. Dizia que era filho do Henrique.

— Do tio Rique? — perguntou Cristiano.

— É.

— Mas por que será que minha mãe nunca me disse nada?

— Vamos esperar ela chegar pra gente esclarecer tudo. Vocês não imaginam que cruz eu carreguei. Quando via Cristiano ainda criança na televisão, tinha certeza de que era meu filho. Queria gritar pra todo mundo: "é meu filho!"

— Meu Deus! Como que eu não percebi? — indagou dona Aurora. — Ele é a cara do pai.

— É a cara e o andar dele — completou o doutor Vasconcelos.

Volta e meia Caio ia até a porta, aflito para ver se Ana Maria chegava. Voltava e olhava para o filho, e ambos não sabiam o que dizer. Apenas sorriam. Era um misto de satisfação, admiração mútua, alegria, questionamentos, ansiedade.

O carro de Reinaldo finalmente estacionou em frente ao cartório. O coração de Caio acelerou. Ele não aguentou e foi ao encontro deles. Aninha desceu do carro mais deslumbrante do que nunca, um pouco nervosa pelos acontecimentos e pela presença de Caio. Os olhares se cruzaram, ambos se aproximaram e se cumprimentaram com um beijo no rosto. Nenhuma palavra. Adentraram o cartório. Aninha cumprimentou os pais de Caio e tomou a iniciativa.

— Já sei de tudo. O Reinaldo me contou.

— Mãe, por que você não me contou? — indagou Cristiano.

— Aninha, por que você escondeu esse segredo? — reforçou dona Aurora. — Dona Cândida não sabia? Por que não me contaram?

— Calma, mãe, calma! — interveio Caio. — A culpa foi minha.

— Sua? Por quê?

— Quando desconfiei de que Aninha estava grávida, propus a ela que tirasse a criança. Tenho certeza de que ela repudiou minha proposta e com medo resolveu não dizer a verdade. Não foi, Aninha?

— Foi.

— Pelo amor de Deus, filho! Como você fez uma coisa dessas? A gente aceitaria essa criança com toda a alegria do mundo.

— Eu não sabia. Estava apavorado e fiquei desnorteado.

— Mas não foi só isso que me levou a não contar — acrescentou Aninha.

— Não? — perguntou Caio.

— Minha mãe implorou para que eu não contasse, porque achava que jamais um moço como o Caio iria se casar com uma caipira da fazenda e temia que vocês ficassem com a criança. Eu acreditei nela. Depois, o tempo foi passando, e quanto mais passava mais difícil foi ficando pra contar a verdade. Sofri muito com isso tudo. Ficava me culpando por privar vocês da companhia de um menino tão especial.

— Aninha — tornou dona Aurora —, você não imagina como eu torcia pra vocês dois ficarem juntos.

— Infelizmente, dona Aurora, na minha cabeça era exatamente o oposto. Peço desculpas a vocês, principalmente à senhora e ao doutor Vasconcelos que foram tão bons pra minha família.

— Tá tudo bem! Tá tudo bem! — interrompeu Cristiano. — Ninguém tem culpa de nada. Era pra ser assim. Está tudo certo. Deus escreve certo por linhas “certas”. Não vamos lamentar o passado, mas comemorar o presente, que o futuro nos espera com muita alegria. Tio Reinaldo, chame os advogados, o escrivão e peça que eles mudem os termos da escritura.

— Mudar como? — perguntou doutor Vasconcelos.

— A Fazenda Santa Luzia vai continuar na família.

— Claro, filho! Você é da família — disse Caio.

— Calma, pai!... Que estranho! Nunca chamei ninguém de pai — disse Cris, para a risada de todos, que riram ainda mais quando ele olhou para Caio, observando-o dos pés à cabeça, e soltou: — Sou mais bonito que você.

— Cristiano, aqui estão os advogados e o escrivão — apresentou Reinaldo.

— Por favor, vocês mudem os termos da escritura que amanhã a gente volta pra assinar. Onde está o meu nome como comprador vocês trocam pelo nome da minha mãe e do meu pai.

— Ah! Oh! Nossa! Puxa! — era o que se ouvia dos pasmados presentes.

— Tio Reinaldo, prepare uma grande festa pra domingo na sede da fazenda que precisamos comemorar. Ligue pra tia Laurentina, pro tio Rique, tio Robinson e o André, e convide todos os empregados da fazenda.

— Filho — interveio Caio —, tenho mais uma surpresa pra te dizer.

— Conta logo, pai. Adoro surpresa boa.

— Você tem uma irmãzinha que é a coisa mais encantadora da Terra.

— É mesmo, pai? Uma irmãzinha? Que maravilha! Quantos anos ela tem?

— Vai fazer oito.

— Como é o nome dela?

— Carla.

— Gostei. Quero conhecer ela o quanto antes.

— Claro, filho. Assim que resolver minha situação com a mãe dela, a gente vai promover esse encontro. Pretendo combinar com a Paola pra visitá-la muitas vezes.

Todos passaram aqueles dias em estado de graça. Aninha e Caio dormiram no Alvorada Palace e reataram o relacionamento. Fizeram amor, não tão voluptuoso como da primeira vez, porém mais satisfatório, porque mais experiente. Caio contou que sua situação com Paola não estava boa e que já haviam se separado e voltado duas vezes. Prometeu-lhe que ao voltar para São Paulo conversaria com ela para se separarem definitivamente.

Dona Aurora e o doutor Vasconcelos continuaram com a casa da sede para desfrutar da Fazenda Santa Luiza quando bem entendessem. Cristiano convidou-os para irem aos Estados Unidos e pôs o jatinho à disposição deles quando quisessem ir, dizendo que precisavam intensificar a convivência para recuperar o tempo perdido. Reinaldo continuou administrando a fazenda com um salário bem melhor. Robinson e André comunicaram que pretendiam se casar na Califórnia e tiveram todo o apoio de Cristiano e Aninha. Caio voltou para São Paulo para resolver sua situação com Paola e a filha Carla e o mais rápido possível ir para Santa Mônica. Ficou combinado que ele ia morar com Aninha e o filho e trabalhar como diretor na Fundação Cristiano. Assim, poderia proporcionar uma generosa pensão à filha e Paola.

46

— Barba, por que tudo dá tão certo pra mim? Nunca tive uma doença. Nunca dei trabalho pra ninguém e em tudo que me proponho a fazer obtenho sucesso.

— Porque você já desenvolveu certas habilidades, certas faculdades e virtudes em outras vidas e durante a permanência no astral e praticamente não tem conflitos internos. Desse modo, sua Consciência foi muito ampliada. Quanto mais ampla a Consciência, mais liberdade, mais poder, mais sucesso, mais alegria a pessoa experimenta. A Consciência é muito maior do que a mente e o eu consciente sabem. Você não sabe quem você é. Aliás, ninguém sabe quem é. Todos pensam que são o que está ao alcance da mente. Mas não somos só a mente. Somos o eu consciente, que existe pra controlar a mente, somos o que está no subconsciente, no inconsciente, somos espírito, alma, corpo físico, corpo astral etc. A mente sobrevive do que aprendeu a partir do último nascimento, por isso é limitada e repleta de ilusões. Todavia, em espírito, somos eternos para trás e para a frente.

— Então, devo ter sido uma pessoa muito legal comigo no passado.

— Sem sombra de dúvida. Os resultados concretos provam isso. Você já usa a inteligência pra evoluir, por isso não precisa mais da dor. Além disso, você é seu melhor amigo.

— Isso é verdade.

— Pode observar que as pessoas que não são amigas de si atraem inimigos. O maior inimigo da pessoa está dentro dela. O inimigo de fora só vem mostrar o que ela está fazendo contra si. Não adianta brigar com o inimigo. A pessoa precisa verificar por que ela está se agredindo pra não mais atrair a agressividade. Não precisa perdoar os inimigos, porque no fundo eles são bons mensageiros, portanto, amigos. Os supostos desafetos, na verdade, são os personagens que cada um contrata pra interpretar os papéis na peça de sua vida em que ele é o mocinho. Você já viu filme de mocinho sem bandido? Por que o mocinho sai vitorioso, de alma lavada, faz sucesso? Devido ao bandido. Tirou o bandido da história, desaparece o mocinho.

— Você disse que a dor funciona como estímulo pra evolução.

— Sim, mas não é a única via. É a única via pra quem não entende outra linguagem. Eu também disse que a dor é o resultado da ignorância, que é sinônimo de treva. Onde há trevas, está escuro, há caos, isto é, não há luz, não há esclarecimento, conhecimento, organização. Ou seja, se a pessoa usar sua inteligência, sua lucidez, a dor não fará sentido no caminho da evolução.

— E, mais uma vez, o exterior é o reflexo do interior.

— Exatamente, porque tudo depende das crenças pessoais.

— Então, devo ter ótimas crenças, porque minha realidade é muito boa.

— Bela constatação. É muito fácil deduzir se alguém cultiva crenças boas ou ruins. É só observar a realidade dela.

— E o que você diria a uma pessoa que acha que a dor faz aprender?

— Não posso dizer pra ela usar a inteligência, posso?

— Claro que não, porque se ela soubesse usar a inteligência, já a estaria usando e não teria dor naquela área da sua vida.

— Perfeito!

— Li uma frase de Albert Einstein que diz que "*a mente que se abre a uma nova ideia jamais volta ao seu tamanho original*".

— E que cada um só faz o que sabe, dá o melhor de si.

— Isso quem disse foi Sócrates.

— Na historinha da maçã, lembra? Então, pra uma pessoa que acha que a dor faz evoluir, eu diria que a dor não serve pra nada. Só pra doer.

— Por quê, se a dor faz a pessoa aprender?

— Porque assim ela começa a perder a crença na dor. Enquanto ela acreditar que a dor faz sentido, vai atrair mais dor pra vida dela. Quanto mais ela acreditar que a luta enobrece e traz a vitória, mais luta vai atrair na sua vida. Quem luta só conquista nova luta. É a lei: você é aquilo em que acredita.

— "*Tua fé te salvou.*"

— Não é? A dor ensina? Claro que ensina. Ao levar um choque, a criança aprende que não deve mais pôr o dedo ali. A dor ensina quem não entende outra linguagem. Ensina quem dá importância a ela. Porém, toda vez que precisar aprender algo novo, e vamos aprender pela eternidade, porque ninguém consegue ficar sem aprender, lá vem a dor ensinar.

— A crença na dor é muito forte em nossa cultura.

— A crença de que a dor ensina remonta aos primórdios da civilização, muito valorizada pela sociedade, pela mídia, pelas religiões, pela cultura. Quem não se afina com expressões como estas: *ele merece, é um lutador; ele sofreu tanto que vai direto para o céu; é preciso pagar os pecados; quando é difícil, tem mais valor; essa mulher é uma santa com o marido que tem*? Isso tudo é tido como lindo e torna a pessoa digna perante os outros. Ou seja, por trás dessas atitudes existe uma crença muito forte de que a dor ensina, de que a dor vale a pena. O sucesso das novelas, dos filmes se baseia nisso. Eles fazem o mocinho sofrer, sofrer, pra vencer no final, geralmente se vingando, e todos ficam satisfeitos, com a alma lavada, achando que a novela ou o filme foram ótimos.

— É impressionante: quanto mais dor o filme apresenta, mais as pessoas gostam dele.

— E mais ganha plateia e Oscar. Então, é preciso mudar a crença, o ponto de vista de que pra aprender só existe a linguagem da dor. Pra perceber se a dor, seja física seja emocional, é importante pra pessoa, é só verificar se ela costuma dar-lhe ouvidos, dialogar com ela, assim: *Essa dor me mostra que...; Vida, o que quer me ensinar com isso?; estou resgatando alguma coisa do passado; pelo menos aprendi que...; a dor me faz crescer.* Ou então observar se ela admira mais quem luta do que quem leva uma vida fácil porque ganhou uma herança; se costuma valorizar mais as pessoas mergulhadas no sofrimento do que as que estão alegres e se divertem; se gosta de dar uma de vítima pra obter a atenção do outro; se se vangloria de uma dor passada. Se estiver nessa sintonia, é um indício marcante de que ela dá muita importância à dor. Se não mudar seu ponto de vista, a dor será uma constante em sua vida.

— É muito comum as pessoas perguntarem: "*Vida* (ou *dor*), *o que você quer me ensinar com isso?".*

— Como aprender é uma determinante na vida, sempre que a pessoa deseja aprender algo significativo vem a dor, que é a forma perceptível que ela cultua pra aprender. Enquanto não mudar sua forma de dialogar com a Vida, a Vida vai utilizar a linguagem que a pessoa entende, ou seja, a da dor. Isso é um poço sem fundo. Por acaso, quando alguém está alegre, se divertindo, pergunta à Vida o que ela quer lhe ensinar com a alegria? Por que deveria perguntar no caso da dor? É preciso tratar a dor que surgir como se trata a alegria, apenas sentindo sem perguntar nada. Por que pra aprender é preciso apanhar? É fundamental não aceitar a violência como forma de aprendizado. Onde fica a dignidade?

— Então, Barba, pra você a dor é uma professora ultrapassada?

— A dor é uma professora para o primário, portanto, obsoleta. É como se a pessoa estivesse cursando a faculdade e fazendo perguntas pra professora do primário. Ela foi útil pra ensinar o bê-á-bá, a ler e escrever. Na faculdade, os mestres são outros e usam linguagens diferentes. É necessário demitir essa professora. Qualquer espécie de dor é ilusão.

— A dor não é real?

— Sentimos como se fosse real, mas é uma ilusão da mente que criou aquela situação. Como é possível dialogar com uma ilusão, com o caos, com a ignorância? A mente se alimenta de ilusões, o espírito, da verdade. Em espírito somos perfeitos, e quem é perfeito não tem sofrimento. O verdadeiro, que é mais que o real, é permanente, como a saúde, o amor, a prosperidade, a paz e a alegria, e tudo isso é um direito de cada um só pelo fato de existir. Não é preciso nem conquistar, é só descobrir dentro de si, acabando com as ilusões. Toda sorte de dor um dia termina, seja aqui, seja após a morte, por isso é tida como uma ilusão. Toda ilusão tem caráter passageiro, não tem sustentabilidade.

— Mas, se eu quiser aprender sem dialogar com a dor, como faço?

— Há tantas formas de falar com o espírito, que é a ligação com a Vida, com a Fonte Divina, pra aprender que não a da dor como, por exemplo, por meio de uma leitura, de uma conversa, de um curso, de uma experiência agradável, das experiências dos outros. Invente seu próprio código pra se comunicar com a Vida. Por um livro, por cartas, por búzios, por uma forma-pensamento. Por exemplo, pra assuntos relacionados à saúde, determine que seu interlocutor com a Vida seja um médico, vestido de branco, com tais características. Quando se tratar de dinheiro, determine como sua interlocutora uma mulher vestida de ouro, com belas pedras preciosas. Use sua imaginação. Invente diversas formas-pensamento, uma pra cada área de sua vida. Converse com elas, com consciência e convicção de que são seus representantes junto à Vida, junto à Fonte, e perceba, sinta as respostas. A prática faz com que as formas-pensamento se tornem cada vez mais evidentes e familiares. Cada vez que você as utilizar, mais elas se fortalecerão e mais claras se tornarão as mensagens. Determine: essa imagem é minha ligação direta com a Fonte Divina.

— Então, se a dor aparecer em minha vida pra ensinar algo que pra meu espírito é muito importante, devo ignorar sua mensagem?

— Exija outra linguagem. Diga a seu espírito, com convicção, com raiva governada, que não aceita mais apanhar pra aprender e que você tem dignidade. A raiva governada é construtiva, tanto para o bem como para o mal. A desgovernada gera mais caos. O espírito adora essa postura de firmeza.

— E a dor...?

— Quanto à dor, simplesmente não lhe dê atenção. Não pergunte nada a ela, não a relacione a nada. Fique indiferente a ela. Isso mostrará que você não dá importância a ela, fazendo com que ela perca a sustentação na matéria, pois não estará mais sendo alimentada por nenhum valor, nenhuma energia. É como se você estivesse desvalidando-a. Repito: tudo ao que você dá importância cresce e tudo o que você desvalida desaparece. Com o tempo, perceberá como a dor, em diversos aspectos, deixará de fazer parte de sua vida, diminuindo substancialmente. Dor é caos. Não aceite o caos pra organizar o próprio caos.

— Não devemos aceitar a dor pra sair da ignorância.

— Os sistemas tradicionais de domar o leão do circo e o golfinho do parque são totalmente opostos. Enquanto o leão recebe uma chicotada toda vez que erra, o golfinho recebe um peixe toda vez que acerta, embora não deixe de ser uma espécie de punição a falta do peixe ao errar, porém nada que o deixe estressado. O golfinho, na apresentação, sempre está em contato com o domador mostrando-se contente, enquanto o leão está separado por um chicote e sempre rosnando. Se por um descuido desse domador o chicote cair de sua mão, o leão o estraçalhará.

— Gostei dessa analogia.

— Então, não devemos permitir ser domados pela dor, apanhando da Vida, acumulando ódio e raiva, prontos pra desferi-los sobre quem cruzar o caminho. É necessário desenvolver alguma forma de diálogo com o espírito pra poder aprender na liberdade e na alegria do golfinho. Essa é a vontade dele. Aprender sem a dor é organizar o caos pela inteligência e faz parte do projeto divino em cada um. O espírito só se vale da dor no aprendizado por não encontrar em você outra alternativa. Pra você, eu nem precisava ter dito isso, porque tem experimentado pouca dor em sua vida. Você possui pouco caos pra ser organizado.

— Graças a Deus!

— E graças a você.

— É mesmo. Às vezes me esqueço de que cada um é responsável pelo que atrai.

— O novo milênio que se aproxima vai ser o milênio da espiritualidade, da regeneração, da materialização das vontades individuais com consciência, pra cada vez mais organizarmos o caos e afastarmos a dor de forma inteligente. Os milênios anteriores foram de provações, de expiação, prevalecendo a ignorância, o caos. A Terra encontra-se ainda quase que totalmente envolvida na densidade da terceira dimensão, com uma parte organizada e outra ainda caótica, em que a dor marca presença. Mas o planeta, que também evolui, começou a adentrar na quarta dimensão em que a dor tem menos presença no processo evolutivo. Ou seja, o planeta que se encontra na fase de provas e expiação está adentrando a fase da regeneração, em que prevalecerá o controle mental.

"A quarta dimensão teve início com a Era de Aquário, ou Nova Era, a qual abriga espíritos que melhor dominam as ilusões. A terceira dimensão se caracteriza pela dualidade, pela mentalidade, pela linearidade do tempo, possibilitando a causa e o efeito, a ação e a reação. Em dimensões superiores, como o mundo espiritual, esses aspectos e o tempo não fazem sentido. Tudo já é. A linearidade da nossa mente mergulhada na terceira dimensão não nos permite entender como, no que consistem e o que ocorre nas dimensões superiores. Há apenas vislumbres. Na terceira dimensão o que prevalece é o mental. Nas dimensões superiores é o sentir. Esse é o final dos tempos, o apocalipse de Nostradamus e de São João. A sucumbência da ignorância em prol da lucidez para um planeta cada vez melhor".

— Nós não estamos num mundo quadridimensional?

— Foi bom você fazer essa pergunta, porque há uma distinção entre o conceito de dimensão de que estou falando e o conceito científico. Para a Ciência, vivemos em um mundo quadridimensional, cujos componentes são a altura, a largura, a profundidade e o tempo, variáveis indispensáveis pra existência do espaço.

— E seu mundo também é quadridimensional?

— É como o seu. O mundo astral não é outra dimensão. É outro plano. No astral também há terceira dimensão, pois há dor. Ao morrer, o espírito da pessoa não vai a outra dimensão, mas a outro plano, o astral, que é pra onde vão todos os espíritos após a morte do corpo físico, independentemente de seu estado de evolução. Como aqui na matéria, vai depender da frequência energética de cada um pra vibrar no plano astral, se de forma organizada ou caótica. Não há diferença do plano físico. Se o padrão de vida aqui for mais caótico que organizado, é na mesma condição que a pessoa vai permanecer no outro plano, pois tanto aqui como lá o que conta são as crenças e atitudes que cada um cultiva, únicos atributos que a pessoa leva consigo. Enquanto não mudar dentro de si, nada mudará fora, tanto no plano físico como no plano astral. Portanto, se a pessoa estiver bem aqui, estará bem após a morte, se estiver mal fisicamente, emocionalmente, espiritualmente, é assim que chegará ao astral, não importa se tenha ajudado milhões de pessoas. O que vale é o que você faz com sua cabeça e não com a dos outros.

47

No laboratório da universidade, Cristiano e sua equipe trabalhavam incessantemente com as experiências científicas. Após a descoberta das fórmulas, ele convenceu alguns colegas sobre a possibilidade de entrar em contato com os mortos e pediu a colaboração deles.

— Bill, Anne, Brown, ouçam isso — pediu Cris.

— Bbrrzz...

— É um som diferente de todos que já ouvimos — disse Brown.

— Ajuste a frequência, Anne — disse Cris.

— Brrzzz...

— Mais. Ajuste aqui — insistiu Cris.

— Brrabdooozz...

— Parecem notas musicais — acrescentou Bill.

— Junto com a frequência de voz humana — vibrou Cris.

— Bill, mexa no captador.

— Aoouuibgdtma...

— Anne, mude a faixa bem devagarzinho — pediu Cris ansioso e agitado.

— Aoestm... oi... oi... oi... oi...

— Conheço essa voz! — gritou Cris.

— Oi, Cris! —, disse finalmente a voz.

— Barba? É... você?

— Pa.ooif.béns! Para.jjobéns! Parabéns!

— Bingo!

— Conseguimos!! — gritaram todos pulando e se abraçando.

— Cris, Cris, oi, Cris.

— Fale, Barba!

— Alguém quer falar.

— Olá, Cris!

— É o Stein! — disse Cris à equipe que ouvia perplexa.

— *Focê* conseguiu! *Parrapéns*!

— Nós conseguimos, né, Stein?

— A *alecrria* de nós cientistas daqui não é menor que a de *focês*. Escuta *barrulho*...

— É a primeira comemoração que ouço do astral!

E assim ficaram horas conversando e ajustando os aparelhos, numa euforia sem precedentes, até obterem um sinal duradouro e de qualidade. Cris pediu aos colegas que guardassem segredo por ora. Acreditava que em breve conseguiriam a imagem. Com as fórmulas, a imagem e o som correspondentes, a classe científica não teria dúvidas e o que a Ciência confirmasse o mundo todo acataria.

Naquela tarde, Cris chegou mais cedo em casa. Apressado, abriu a porta gritando:

— Mãe! Mãe!

— O que foi, filho? O que aconteceu?

— Cadê o pai?

— Tá no escritório trabalhando... O que aconteceu, meu filho?

Cristiano subiu num pulo a escadaria, abriu de supetão a porta do escritório gritando, com a mãe correndo atrás, assustando Caio.

— Pai!

— O que foi, filho?

— Mãe! Pai! Consegui!

— Conseguiu o quê? — perguntaram os dois.

— Consegui me comunicar com os mortos.

— Já sabemos que você se comunica com os mortos — afirmou Caio.

— Mas não é mediunicamente.

— Como é então? — indagou Aninha.

— Por meio de aparelhos.

— Rádio?

— É como se fosse, mas é outro aparelho, com outro tipo de onda. Falei com o Barba e com os cientistas de lá, inclusive com Stein.

— Meu Deus! Que coisa fantástica! É uma descoberta histórica — tornou Caio.

— Amanhã quero que vocês dois vão comigo até a universidade. Quero que sejam os primeiros a ouvir. Mãe, você vai ouvir a voz do Barba.

— Tô curiosíssima!

— Eu quero ouvir o Stein — completou Caio.

— Filho de Deus!

— O que foi, mãe?

— Já tô aflita...

— Por quê, querida? — perguntou Caio.

— Filho, do céu! Não sabe o que estou pensando...

— Acho que sei, mãe. Calma! Um dos motivos que me levaram a entrar de cabeça nessas pesquisas foi justamente esse — explicou Cris, enquanto sua mãe chorava.

— Vou falar com minha mãe, meu pai...

— Calma, mãe! Meus amigos de pesquisa também ficaram entusiasmados com a possibilidade de falar com seus queridos que já foram, mas não depende só da gente. Deve ter algum motivo pra eu não ter visto mais o vô e nunca ter visto a vó. O Barba disse que é preciso ter a permissão de lá.

— Como? — questionou Caio.

— Lá é tudo disciplinado. É preciso ver o estado em que se encontram e onde estão, o que estão fazendo.

— Ah, é assim, é?

— Claro!

— Por quê? Não estão todos no mesmo lugar?

— Estão todos no mundo astral, mas em frequências diferentes.

— Como assim?

— Jesus dizia: *"há diversas moradas na casa do meu Pai"*. Quanto mais evoluídas espiritualmente, quanto mais expandidas estiverem as Consciências, em melhores frequências as pessoas vibrarão.

— E lá elas não se encontram?

— Depende. Quem está numa frequência inferior não consegue perceber os mundos das frequências superiores, mas quem vibra nas superiores percebe e visita as inferiores.

— E há quantos tipos de frequência? — perguntou Caio.

— Não sei. Deve haver muitas frequências. Sei que variam desde as mais densas, que são terríveis, onde estão os desencarnados que morreram muito perturbados, que uns chamam de umbral, outros de purgatório, inferno, até onde vibram espíritos iluminados que já não precisam mais reencarnar porque já dominam a mente e consequentemente a matéria. Jesus, Buda, Maria, muitos santos, e muitos que não são tidos como santos, porque não pertenciam à Igreja católica, vibram nessas frequências superiores, que também são graduadas.

— Quer dizer que quando eu morrer não vou ver Jesus? — quis saber Aninha.

— Ih, mãe! Nós podemos tirar o cavalo da chuva. Só se ele descer até a nossa frequência.

— Muitos acreditam que ele vai voltar — comentou Caio.

— Pelo que o Barba me explicou, acho que não. É tanta energia, tanta luz, que um corpo físico não suportaria.

— Mas pra Deus tudo é possível, né, filho?

— Claro que é, mãe. Mas Deus é antes de tudo um cientista. Não seria Ele a burlar Sua própria Ciência.

— Então tudo é Ciência? — perguntou Caio.

— Tem a Ciência e tem a espiritualidade. As duas concorrem pra expansão da Consciência. Uma coisa muito interessante e que merece nosso apreço é que na cidade do Vaticano existe uma academia de ciências sustentada pela religião católica. Ciência e espiritualidade andam de mãos dadas e não em sentido contrário como muitos querem. Por isso gosto das duas áreas. De que adianta ser um cientista, um intelectual sofredor? De que vale ser uma pessoa que vive rezando e fazendo o bem aos outros, se está sofrendo porque tem a Consciência muito reduzida? O conhecimento científico não é responsável pela realização. No espírito está a realização pessoal. A gente só se realiza na espiritualidade verdadeira.

— E o que é a espiritualidade verdadeira? — questionou Ana Maria.

— É investir no espírito.

— As religiões não fazem isso?

— Fazem de uma forma muito superficial. As religiões são inventadas pelos homens, enquanto a espiritualidade já vem com as pessoas. O ateu tem espiritualidade, só que a mente dele nega. Como foram os homens que inventaram as religiões, e todas têm sua utilidade, elas estão cheias de regras e condutas que os fiéis têm que seguir pra alcançar o céu, prejudicando a expressão pessoal, individual. O espírito não tem regras, não tem pecados. É completamente livre. A ética e a moral do espírito não são iguais às humanas. A reencarnação, por exemplo, uma das coisas mais abençoadas e justas, que prova toda a generosidade divina, permitindo que os seres humanos, por mais ignorantes que sejam, sempre tenham nova oportunidade, muitas religiões negam.

— Mas, filho, acreditando ou não na reencarnação, a pessoa pode viver bem depois que morre.

— É verdade, pai. Mas o conhecimento sempre facilita o caminho. A negação da reencarnação não é uma coisa tão grave. Pra mim, o que é gravíssimo, e isso sim atrapalha sobremaneira a evolução espiritual das pessoas, é que as religiões ocidentais colocaram Deus lá no alto, não sei onde, observando e registrando o que Seus filhos fazem aqui na Terra. Isso é um absurdo! O próprio Jesus disse: "*vós sois Deus*". Então, as religiões tiraram Deus de dentro da gente e o colocaram lá em cima, e agora os fiéis, como seres frágeis, rezam, pedem, imploram a Deus que lhes atenda, ignorando que têm um poder infinito dentro de si, que são o próprio Deus. Se não bastasse, pedem a intermediários, como Maria e os santos, que intercedam a Deus por eles.

— E como você reza, filho?

— Eu não rezo, pai. Eu não peço nada a Deus. Quem pede a Deus não acredita no poder Dele. Já que Ele é infinitamente sábio, será que não sabe do que estou precisando?

— De fato.

— Em vez de rezar, eu afirmo, uma vez que sou extensão de Deus. Quanto mais convicção, mais fé eu tiver na minha afirmação, mais meu espírito, que é o detentor da sabedoria divina em mim, se propõe a materializar o que necessito. Então, em vez de rezar ou pedir, eu afirmo, com convicção, com a alma: *pelo poder divino em mim eu declaro que sou saudável; a vida é segura; a vida é uma bênção; eu sou próspero; eu só atraio pessoas boas; eu sou divino, por isso tudo que faço ou não faço é perfeito; eu sou puro* etc.

— E por que muitas pessoas afirmam, afirmam e nada acontece?

— Ou porque não afirmam com a alma, ou porque têm conflitos internos, isto é, existe ignorância provocando o caos em determinadas áreas. A vontade do espírito é de que cada um se realize em tudo, mas, por mais sábio e poderoso que seja, obedece às crenças e o que a estrutura individual permite. Essa é a beleza do jogo divino. Deus Se revela aos poucos em cada um. Deus só Se expressa na matéria. Sem matéria Ele permanece no estado latente. É como se Ele dissesse por ocasião do *big bang: "deixa Eu Me sentir, Me ver, Me revelar, Me realizar, Me perceber através de toda a matéria"*. Claro que no início existia um caos total que depois foi se expandindo e se organizando até os dias de hoje. Deus não fez o mundo em sete dias e depois descansou. Ele nunca descansa e nunca termina sua obra. Deus é atemporal. É um *continuum*.

— Mas não dizem que Deus nunca teve princípio e nunca terá fim? — questionou Caio.

— E quem disse que o *big bang* foi o início?

— E tudo que havia num bilionésimo do tamanho de um próton, como dizem os cientistas, está agora em todo o universo? — questionou Caio.

— Absolutamente tudo.

— Ah, isso é muito complicado pra mim! — interveio Ana Maria.

— Tá bom. Vamos voltar ao Deus em nós. Em espírito nós também estávamos lá no *big bang*. Por isso somos todos Um. Por isso, quando a gente sente é Deus sentindo. Quando a criança chora, é Deus chorando. Quando o jogador vibra, é Deus vibrando. Quando o pedreiro constrói, é Deus construindo. Quando a gente nasce, é Deus nascendo. Quando a barata morre, é Deus morrendo. Quando o cão late, é Deus latindo. Quando o vento sopra, é Deus soprando. Quando o tsunami mata, é Deus matando. Quando a gente mata, é Deus matando, e tudo tá perfeito no seu devido grau de evolução. Tudo é pra estar onde está.

— Credo, filho! Até quando a gente mata? — perguntou Aninha abismada.

— Claro! Tudo é expressão divina. Quando alguém mata, é Deus Se expressando através da ignorância do assassino.

Na verdadeira espiritualidade o bem e o mal não existem. São invenções da mente humana. Tudo é funcional. Por isso Deus não condena nem absolve. Pra Ele está tudo certo. A morte não é o fim. Somos um processo eterno. Numa futura encarnação o assassino pode ser o pai do morto ou outra pessoa, devolver a vida que tirou, e tudo se resolve. Na verdadeira espiritualidade não se tem a visão imediatista dos fatos, mas a de um processo que se desenvolve desde sempre e não para. Cada um é um processo que se expande, seguindo a expansão do universo. Tudo na vida é assim: do pior para o melhor; do caos para a organização; da ignorância para a sabedoria.

— Quer dizer que a vida estará melhor daqui a cem anos?

— Com certeza absoluta, pai, porque quando as Consciências individuais melhorarem, se expandirem, a coletividade, o senso comum também melhorarão. A vida de nossos antepassados não era pior que a nossa?

— Deus me livre de antigamente! — disse Aninha.

— Então, quanto mais expandida estiver a Consciência da pessoa, mais facilmente ela conseguirá materializar suas vontades ao fazer afirmações positivas? — indagou Caio.

— Isso mesmo, pai. O Barba disse que eu já desenvolvi essa faculdade e praticamente não tenho mais conflitos internos.

— Você já falou sobre conflito interno. Pode me dar um exemplo?

— Se alguém deseja um amor legal e não se ama, não adianta afirmar nada nesse sentido, porque seu espírito sabe que essa atitude, que no fundo é uma crença, não é de amor. O espírito faz o que a gente faz com a gente. Se eu não me amo, não tenho amor. Se eu não me valorizo, não tenho valores. O espírito só faz o que aprende com a gente. Ele só está obedecendo nossas ordens. Então, o espírito daquele que deseja um amor legal não materializa a vontade dele. Pode até conseguir alguém, mas não vai ser um amor legal. Outro exemplo bastante comum de conflito interior é o da pessoa que deseja ganhar muito dinheiro e faz afirmações do tipo *sou rico*, se visualiza rico, mas cultiva a crença de que o dinheiro é o mal da humanidade, ou de que os ricos são ricos porque geralmente roubam. Vou dar mais um exemplo pra ficar bem claro. Muita gente acredita que por meio do sacrifício se chega à paz, ao céu ou ao paraíso. Ora, na paz, no céu ou no paraíso não há sacrifícios, não há dores. Assim que sua tarefa de sacrifício terminar, a paz não virá porque ela acredita na dor. Então, novo sacrifício se apresentará. Quando essa pessoa morrer, levará consigo suas crenças e o conflito interno. Dessa forma, o céu ou o paraíso sempre estarão distantes. São duas crenças opostas que se anulam.

— Realmente há contradições ali.

— E na contradição um anula o outro e não há materialização. Assim, antes de afirmar é preciso fazer uma limpeza interior. É como o agricultor que, antes de plantar, precisa limpar o terreno.

— E como se limpa o interior? — quis saber Caio.

— Primeiro, é preciso parar de julgar os outros, porque quem julga está fazendo a lei que o condenará. Segundo, não se criticar negativamente e aceitar-se como é. Terceiro, que é uma consequência da postura anterior, sentir-se perfeito como Deus é, já que somos todos divinos, ou seja, nunca erramos e nunca vamos errar, porque só fazemos o que sabemos fazer. Ninguém pode fazer o que ainda não sabe. Ninguém tem culpa por sua ignorância. Ninguém tem culpa pelo caos que ainda não foi organizado, porque, na organização do caos, o espírito, nossa ligação direta com Deus, é que toma a dianteira.

— Caramba, filho! Quanta coisa nova! — exclamou Caio.

— Essas novidades sempre estiveram por aí. Muitos sábios já falaram a respeito, mas poucos tiveram a lucidez necessária pra absorvê-las. Com a entrada do planeta na era de aquário, ou na quarta dimensão no próximo milênio, naturalmente aflorou a Nova Era em que essas verdades prevalecem. Assim, cada vez mais pessoas se afinam ou já reencarnam com essas ideias.

48

Se fosse por vontade própria, Cristiano não dormiria. Passaria o tempo todo no laboratório. Muitos sábados e domingos ele passava pesquisando, e sua mãe sempre lhe chamava a atenção dizendo-lhe que precisava se divertir mais. Ele respondia que o que fazia era a melhor das diversões. Havia dispensado convites de diversas universidades do mundo para dar palestras. Seu capital, muito bem administrado, já lhe rendia a condição de milionário com apenas vinte e dois anos.

Em suas experiências, Cris pôde falar com desencarnados famosos, como cientistas, atores de Hollywood, pintores, escritores, poetas, santos, músicos, estadistas. Suas maiores emoções foram quando conversou com santos, com seu ídolo do esporte e seus ídolos do rock. Não só ele se emocionou, mas toda a equipe e Mr. Scott. Quando podia, levava os pais para ouvirem e eles quase sempre saíam chorando. Não via a hora de descobrir a imagem e transmitir tudo aquilo para a humanidade, não só pela diversão ou pelo fato de as pessoas poderem matar a saudade, mas principalmente pela possibilidade de acabar com a ignorância a respeito da morte, do mundo e da vida após a morte, poupando tantos de tanta dor. Ele sabia que uma imagem valia mais que mil palavras.

Com o Barba, Cristiano preferia conversar da maneira tradicional, mesmo porque tinha assuntos particulares que só interessavam a ele.

— Barba, uma curiosidade que todos têm, principalmente os cientistas.

— Qual?

— Existem outros planetas habitados por humanos no universo?

— Há inúmeros.

— É mesmo?

— De diversos graus de evolução. Há planetas mais evoluídos que a Terra e outros menos. Certamente a aparência física do ser humano é diferente, porque depende de como a vida evoluiu em cada um deles, considerando o ambiente local, o tamanho, a gravidade, a influência gravitacional da estrela responsável pela luz como o sol, os satélites naturais, você entende, né?

— Claro. E as leis da física são as mesmas?

— São, pelo menos em nosso universo.

— Como em nosso universo? Não me diga que há outros!

— Há muitos universos.

— Não acredito!

— E a possibilidade de serem criados quantos universos Deus quiser. Deus não é infinito?

— É verdade. Nosso universo tem tamanho limitado. Caramba! Nunca passou isso pela minha cabeça...

— Nesse momento pode muito bem estar acontecendo um *big bang* por aí.

— *Por aí*? Você diz *por aí*?

— Tá certo. Em algum lugar.

— Agora deu um nó nos meus neurônios. Já ficamos abismados de pensar na existência de outros planetas habitados... imagine de outros universos?

— E um diferente do outro, porque Deus não repete.

— Pode parar, Barba! Você disse outros universos?

— Quem mandou ser curioso!

— Vamos mudar de assunto.

— Você é quem sabe.

— Você disse que a Ciência é a mesma em nosso universo. E a espiritualidade?

— Ué! Você não quer mudar de assunto?

— Mais ou menos.

— A espiritualidade também, pois onde há vida, há espírito.

— E corpo astral?

— Também. O espírito sempre acompanha o corpo astral. Quem sente é o corpo astral, porque o espírito o acompanha.

— É mesmo. Depois que a pessoa morre o corpo do defunto fica duro que nem um pau. Quando minha avó morreu, eu bati no rosto dela, assim como quem bate numa porta, e era duro como uma porta.

— Porque o corpo astral junto com o espírito saiu dali — explicou Barba rindo muito.

— Eu não acredito que o corpo físico de Jesus tenha ressuscitado.

— E não ressuscitou mesmo. O que saiu do túmulo foi seu corpo astral. Seu corpo físico apodreceu como o de qualquer ser humano.

— E por que ele apareceu com as marcas das chagas?

— Porque a pessoa aparece no astral da forma como morre. As impressões físicas vão junto. É o poder da mente sobre a matéria. Se o corpo físico estava doente, ele vai doente para o astral. Se alguém morre numa cirurgia, vai com as marcas da cirurgia. Depois lá é curado, se não for para o umbral, porém.

— E as pessoas que morrem velhinhas vão ficar sempre velhinhas?

— Lá, como aqui, tudo depende das crenças. A idade é uma ilusão da mente. No astral o poder da mente tem um retorno mais rápido que aqui, pois as moléculas, os átomos são menos coesos. Se você se concentrar e colocar sua vontade em algo, aquilo instantaneamente aparecerá em sua frente. Então, dependendo da lucidez e do poder de concentração de cada um, ele pode ter a idade que quiser.

— Que legal! Então posso criar o que quiser de repente?

— Claro que é preciso observar certas normas de lá.

— Sei. Mesmo assim é fantástico!

— Por um lado é bom, mas por outro...

— Por outro...?

— Se a pessoa tiver uma cabeça boa, tiver certo controle mental, tudo bem, mas se for dramática, cheia de ilusões, vai criar um inferno à sua volta, porque vai materializar essas ilusões e viver tudo aquilo.

— É mais ou menos como aqui.

— Isso mesmo. Aqui no seu mundo também é assim. Você pode materializar suas vontades, dependendo de suas crenças e de sua convicção, mas só que o processo é bem mais demorado, porque a matéria é mais densa devido à coesão mais forte entre os átomos e entre as moléculas, ou seja, há menos maleabilidade.

— Se a pessoa morre acreditando que vai ver Jesus ou Alá, isso não acontece?

— Existe a realidade real, vamos dizer assim, como a realidade comum daqui, e existem as das fantasias das pessoas, que são individuais. Então, essas pessoas que ficam no delírio podem até somatizar um Cristo, um Alá, segundo a cabeça delas, mas é tudo fantasia.

— E como a pessoa consegue sair do seu delírio?

— Em escolas, exercitando o controle mental.

— Sempre voltamos ao controle mental.

— Isso é tudo.

— Você já disse, Barba, que quem vive bem depois que morre é quem tem o controle da mente e não quem rezou ou fez caridade.

— Aqui no seu mundo também é assim, não é?

— É, porque quem fica nas ilusões colhe desilusões. Você também já pastou muito, Barba?

— Ih! Só Deus sabe!

— Hahaha.

— Tá rindo de quê? Você também já comeu o pão que o diabo amassou, viu?

— Devo ter comido muito! Acho engraçada a expressão *comeu o pão que o diabo amassou*. Imagine o que ele deve ter posto na massa!

— O diabo é o maior amigo do homem.

— Quê...?

— Não esse diabo fantasioso que inventaram de rabo e chifres. Mas os demônios interiores. Graças a eles a gente consegue sair das ilusões e adquirir lucidez. Todo mundo precisa enfrentar seus demônios, encará-los e resolvê-los.

Cristiano ficou surpreso ao perceber que Barba tinha um cigarro na mão pronto pra ser acesso.

— Uai! Você fuma, Barba? Nunca vi você fumando...

— Por quê? Qual o problema?

— Como você consegue cigarro?

— Eu mentalizo e o cigarro aparece na minha mão.

— E o cigarro não faz mal aí?

— Nem no meu mundo nem no seu. Nada faz mal. Comida não faz mal, bebida não faz mal, cigarro não faz mal, sexo não faz mal. Tanto é que pra certas pessoas nada disso faz mal. Se fizesse, faria pra todo mundo. O mal já está na memória celular das pessoas, que as acompanha ou desta vida ou de outras, na matéria ou no astral. O mal que se transforma em doenças são energias ruins cristalizadas, provenientes de remorsos, culpas, arrependimentos, mágoas, desgostos, amarguras, ódios, ressentimentos, rancores, revoltas, orgulho ferido que a pessoa nutriu. A comida, a bebida, o cigarro são apenas o estopim pra desencadear a doença que já está ali. Qualquer outra coisa a desencadearia da mesma forma. Enquanto ela não resolver por dentro, enquanto ela não mudar a causa, enquanto ela não se purificar, a doença continuará presente. Este deveria ser o papel das religiões: trabalhar na purificação das pessoas e não fazê-las ficar chamando Jesus como muitas ensinam. Da mesma forma, remédios, médicos, curandeiros não curam. Apenas ajudam, porque ninguém consegue mudar as crenças do outro. A cura quem faz é a pessoa, mudando suas crenças e atitudes. Enquanto ela não se resolver por dentro, a causa permanecerá. A cura dos remédios não é definitiva.

— Mas Jesus não curava as pessoas?

— Até os milagres de Cristo não curaram as pessoas. Foram apenas uma ajuda. Se elas não mudassem, como ele dizia: *"vai e não peques mais"*, a enfermidade voltaria. Somente a pessoa tem o poder de organizar o caos que está dentro dela, mudando crenças e atitudes. Toda doença tem caráter passageiro, por isso é tida como uma ilusão.

49

Com a gama de conhecimento que tinha adquirido, principalmente por meio do Barba, Cristiano escreveu um livro e o enviou a uma editora que imediatamente o aprovou e publicou, a seu pedido, em inglês, português e espanhol. Com a fama e o carisma que possuía, e um marketing estratégico, o lançamento simultâneo nos Estados Unidos, no México e no Brasil foi um sucesso, esgotando-se a primeira edição em semanas. Como era seu desejo, oitenta por cento do público leitor era de jovens e adolescentes carentes de uma espiritualidade mais profunda. A linguagem simples e o vocabulário adequado a esse público foi determinante para o sucesso tão imediato.

— Filho, como você consegue fazer tanta coisa e ainda ter tempo pra namorar?

— Pai, quando a gente faz o que gosta, com um pouco de disciplina, arruma tempo pra tudo. Já estou escrevendo meu segundo livro. Por falar em tempo, a editora acha importante que eu apareça em programas de televisão, principalmente naqueles com índice de audiência elevado, pra divulgar as ideias do livro. Ela própria faz questão de contatar as grandes redes e fazer a programação.

— As grandes redes?

— Daqui dos Estados Unidos, do México e do Brasil primeiramente e, depois, da Europa, Ásia, África, América e Austrália.

— Que bom, filho!

— Quero que você e a mãe venham comigo. Assim a gente aproveita e passeia também.

— Vai ser maravilhoso! Deixa que eu conto para sua mãe.

— Eu já avisei que tem que ser meio corrido porque não posso me afastar por muito tempo das experiências.

— Como vão as pesquisas?

— A todo vapor. Na semana passada acho que demos um grande passo.

— Conseguiram ver alguma coisa?

— Ainda não, mas conseguimos sinais diferentes e não há mais aqueles chuviscos.

— Você tem ideia, filho, do impacto que isso vai causar nas pessoas, no meio científico e religioso, no mundo todo?

— Tenho, e é exatamente essa minha intenção.

— Você vai ser considerado um revolucionário.

— Gosto da palavra revolução.

— Seu livro já está fazendo isso.

— Não é preciso pegar em armas pra se fazer uma revolução.

— E não vivemos mais nesses tempos.

— Só uma revolução, com grande impacto pra acabar com ideias e crenças tão arraigadas, estagnadas e tidas como verdades definitivas. Nada na natureza é estático e definitivo. O novo sempre vem.

— As religiões têm muito disso.

— Porque estão cheias de regras que alguém inventou como únicas maneiras de se chegar ao céu. As religiões são estáticas, a espiritualidade não.

— A espiritualidade não?

— Uma grande verdade pra você hoje pode não ser mais amanhã.

— Acredito nisso, filho. Quantas crenças eu tinha como definitivas no passado que hoje não me servem mais.

— E eu, então? Pode ser que isso que estou dizendo hoje um dia seja ultrapassado.

— Mas no momento é libertador.

— Exatamente, pai. O importante é sempre estar aberto ao novo, em todas as áreas. Quem não adere ao novo fica velho, enferrujado, preso ao passado. A vida é assim, se renova, se transforma a todo instante. Como diz o Barba: "Deus não repete".

— Por isso você escreveu pra jovens e adolescentes?

— Não só pra eles. Escrevi pra quem tem a cabeça jovem. O jovem e o adolescente de hoje têm uma visão de vida, de mundo, de espiritualidade muito diferente da dos pais. Estão se encarnando espíritos com outra mentalidade e eles serão responsáveis pelas novas ideias que nortearão o próximo milênio.

— Nem todos os pais são assim.

— É verdade. Conheço muitos pais com mente aberta. Aqueles que não têm, aqueles que têm medo do novo ficam inseguros, temerosos, achando que os jovens de hoje são mais irresponsáveis e pintam um amanhã tenebroso com muita violência, sexo desregrado e drogas.

— Você é um otimista por excelência, filho.

— Não é só otimismo. É uma constatação. O mundo está cada vez melhor. É só olhar pro passado.

— Muitos acham que está mais violento.

— Está muito menos violento. Antigamente qualquer doença dizimava famílias porque não havia antibiótico. É que hoje as pessoas não tiram o olho da televisão e da internet que passam os fatos em tempo real, e elas, pra ter audiência, investem na desgraça. Então, acham que o mundo está perdido e piorando cada vez mais. Se ficarem um mês afastados da mídia, vão achar que o mundo melhorou. Antes, proporcionalmente ao número de habitantes da Terra, a violência era muito maior. Só que não era tão divulgada, não por filosofia, mas por incapacidade dos veículos de comunicação da época.

— E o que você diz da liberação sexual?

— É uma maravilha! Claro que em tudo que é proibido, quando se afrouxa o controle e a repressão, as pessoas vão com tudo, como se quisessem aproveitar o tempo perdido. Mas isso é normal, muitas vezes com consequências ruins, é verdade, mas é só uma fase que vai passar. Aliás, já está passando, e na próxima fase vão tratar aquilo com mais consciência e sabedoria. Por ser tão reprimido, nunca tiveram chance de tratar o assunto com naturalidade.

— Eu sofri muito com isso... Imagine meus pais!

— Imagine os filhos dos jovens que vão encontrar uma sociedade com muito menos preconceitos e tabus? Hoje, o sexo pros jovens e adolescentes, pelo menos nos países mais livres como o Brasil e os Estados Unidos, é um assunto como outro qualquer. Eles não dão tanta importância ao fato. Não quer dizer que estão deixando sua sexualidade de lado. Apenas estão tratando como qualquer outro assunto com mais inteligência e até curtindo melhor. Assim, têm menos encucações, traumas, neuras e problemas nessa área. Quando se tem restrições fortes na alimentação, o assunto comida acaba dominando a vida. Tudo ao que a gente dá importância cresce. Tudo que é proibido, reprimido, cresce.

— Não dando tanta importância, sofrem menos.

— Claro! Tem menos ignorância envolvida... O Barba me disse que essa nova geração está anos-luz à frente. A distância entre eles e os pais vai ser muito maior do que em gerações passadas.

— E olha que a distância entre a minha e a dos meus pais já foi grande...

— Esses novos filhos vão ditar, não vamos dizer as regras, porque regra é uma palavra apropriada aos milênios anteriores, mas os conceitos que nortearão o novo milênio, o milênio da regeneração. Os anteriores foram das provas e expiação. O terceiro milênio vai ser o da verdadeira espiritualidade, a espiritualidade profunda. Será o milênio em que as pessoas voltarão pra casa, ou seja, pra dentro de si, onde está todo o poder, pois todos somos extensão do Criador. Todos somos criadores e começaremos a criar, regenerar conscientemente. Já o fazemos de forma inconsciente. Vai ser o milênio em que vai prevalecer o controle da mente. Então, o Deus exterior, opressor, cruel, vingativo, feito à imagem e semelhança do homem, sucumbirá com seus pecados e demônios num estrondoso e fantástico apocalipse. Vai ser a vitória, não do bem contra o mal, pois nada é mal, apenas funcional, mas da lucidez sobre a ignorância.

— Filho, que bonito ouvir isso! Nem parece que essas palavras saem da boca de um cientista.

— Pai, Ciência sem espiritualidade não tem o menor sentido. O espírito é o responsável pela realização. De que adianta ser um cientista infeliz? Estou falando de espiritualidade e não de religião.

— Eu sei. Quando as pessoas melhoram sua espiritualidade, toda a Terra melhora.

— É isso aí, pai! Você captou direitinho a mensagem. A Terra também é um ser vivo e tem seu espírito.

— É mesmo?

— Tudo tem espírito, porque tudo é extensão do Espírito Uno.

— Faz sentido.

— Então, a Terra também evolui. Nada é estático na natureza. Conforme a Terra evolui, vai deixando de abrigar pessoas mergulhadas na ignorância que a atrapalham em sua evolução. Um dia ela voltará a ser o paraíso e acolherá apenas espíritos preparados e desenvolvidos em todos os sentidos: espiritual, mental, ecológica e socialmente.

— E os que não acompanharem a evolução?

— Serão, ou melhor, já estão sendo exilados para outro planeta menos desenvolvido, onde a ciência e a tecnologia estão dando os primeiros passos, como na Terra no período da Idade Média, quando as coisas ocorriam bem lentamente. Por exemplo, alguém que se valha do desenvolvimento da tecnologia pra usá-la de forma nefasta não está preparado pra viver numa Terra tão avançada em todos os aspectos. Então, pro seu próprio bem e não como punição, vai precisar se encarnar num planeta onde as coisas acontecem mais devagar, onde nem mesmo a energia elétrica foi descoberta, já que essa pessoa não acompanha o ritmo de evolução da Terra. Como você acha que viemos pra Terra? Esse processo ocorre em todo o universo.

— Caramba, filho! É uma visão com muito mais sentido que a que eu tenho.

— Que a maioria tem, pai.

50

O céu estava em festa. A notícia de que Cristiano e sua equipe tinham descoberto como captar as imagens do astral estava sendo tão festejada quanto aqui. Cristiano era famoso em praticamente todas as colônias astrais devido às suas pesquisas e descobertas. Os desencarnados do mundo todo torciam e estavam ligados aos acontecimentos, pois queriam ter a chance de falar com os encarnados e ao mesmo tempo serem vistos, já que só eles conseguiam ver os daqui e pela primeira vez na história haveria essa possibilidade. Mas, mais do que isso, sabiam que muita ignorância seria desfeita, muitos pontos de vista seriam mudados, muitas crenças seriam trocadas, favorecendo sobremaneira a evolução da humanidade. E quando o plano físico evolui o astral também evolui, pois são interdependentes.

No dia da descoberta, Cristiano quase pirou. Pulava, gritava, chorava, ria, abraçava feito uma criança tresloucada. Nunca ninguém o vira se comportar daquela maneira. A primeira imagem obtida foi a de Stein, e toda equipe, pasmada, pôde ver a simpatia do Barba. Cris não permaneceu por muito tempo no laboratório como da outra vez. Não aguentava tanta satisfação e euforia. Precisava se espraiar. Pediu que alguém avisasse a seus pais que voltaria só no dia seguinte e que lhes contaria tudo depois. Pegou sua poderosa moto e, com o som dos rocks preferidos às alturas nos fones de ouvido, tomou a estrada em direção ao Grand Canyon. Era assim que ele comemorava, vibrava e relaxava sempre que tinha uma grande satisfação. Ia dizendo para si: "Menos, Cris, menos, Cris, senão você vai explodir. Olha o controle mental...". Volta e meia gritava a plenos pulmões aos quatro cantos do mundo, em inglês e em português: "Eu consegui! Eu consegui!".

Às margens do Grand Canyon, entrou em meditação para poder desligar a mente. Queria curtir tudo aquilo numa boa, com alegria e não com euforia e agitação mental. Uma vez que aprendera e ensinava os benefícios sobre o controle da mente e consequentemente das emoções e sentimentos, essa era a hora mais oportuna de pôr tudo em prática. Além disso, à noite precisava dormir porque tinha toda uma estrada de volta.

A semana que se seguiu foi muito louca. Viram e conversaram com mortos famosos. Mortos, não. Ninguém mais falava em mortos, porque estava comprovado cientificamente que ninguém morria. Diziam que eram os "amigos do outro lado". A imagem que se via ainda não era das melhores, mas já era colorida. A curiosidade de toda a equipe era tão grande que às vezes acabava até atrapalhando. Daí em diante iriam se dedicar à melhoria do sinal.

Como fez quando sintonizou o som, Cristiano levou seus pais para verem e ouvirem os desencarnados. Ana Maria ficou pasma ao reconhecer o Barba como uma das pessoas que estavam na sala por ocasião do parto de Cris. Barba confirmou isso pessoalmente.

A primeira coisa que Cristiano fez foi providenciar o registro das patentes de suas descobertas, tanto do som como da imagem. A segunda foi convocar revistas especializadas para divulgar suas pesquisas e depois contatar cientistas renomados para conversar a respeito.

Com a divulgação da notícia, a universidade virou o centro das atenções do planeta. Centenas de ávidos jornalistas faziam plantão em frente à sua entrada. Em praticamente todos os jornais falados, televisados e escritos do mundo, o assunto era abordado com destaque. Todos queriam ansiosamente saber do cientista brasileiro quando iria ser divulgada ao público a primeira imagem — ao vivo — de um desencarnado. Para muitos cientistas tratava-se de uma descoberta mais importante do que se tivessem provado a existência de discos voadores ou de algum planeta habitado.

Cristiano combinou com a imprensa que uma vez por semana, durante duas horas, ele, Mr. Scott e sua equipe a receberiam para informações e explicações. Prometeu que em no máximo um mês, pela primeira vez na História, colocaria um desencarnado no ar. Disse que precisava desse tempo para organizar aquilo que ele chamou de "o maior evento científico espiritual da História", pelo que ele representava tecnólogica, científica, psicológica, social, antropológica, religiosa e espiritualmente para a humanidade.

No Brasil, o país que mais comemorava as descobertas de Cris — não só por ele ser brasileiro, mas por ter um povo muito ligado à espiritualidade, aberto a novas ideias e que convivia pacificamente com todas as religiões, a exemplo do sincretismo religioso na Bahia —, o governo adiantou que, se o tal dia caísse durante a semana, seria decretado feriado nacional. Sabendo disso, muitas pessoas enviaram *e-mails* para o site de Cristiano pedindo que fosse numa segunda ou numa sexta-feira. Uma escola de samba do Rio já obtivera o consentimento de Cristiano, e o tema seria enredo do próximo carnaval, com o título: *O samba pede passagem para o Além*. Grandes cineastas solicitavam constantemente a Cris que colocasse nas telas a história de sua vida. Ele era simpático à ideia, mas preferia que isso fosse feito no futuro.

Cristiano convocou sua equipe financeira e toda a diretoria para uma reunião, pedindo que providenciassem a abertura de uma nova empresa, a BSW – Beyond the Sky Waves Corp. (Ondas Além do Céu), tendo Caio como presidente e os técnicos da equipe como vice-presidentes. Noventa por cento das ações seriam da Fundação Cristiano e dez por cento de Mr. Scott. Essa empresa geriria todos os recursos provenientes das recentes descobertas. Seria uma multinacional detentora de todos os direitos sobre a transmissão de som e imagem do astral. Contratariam os melhores profissionais técnicos em ondas e magnetismo do mundo e abririam uma fábrica de produção dos aparelhos de captação e transmissão. Futuramente, estenderiam essa tecnologia a todos os países, mediante franquias, e cada cidade teria uma frequência própria de sintonia.

51

Era uma sexta-feira, para a alegria de muitos brasileiros, dez da manhã na Califórnia, e o mundo parava em frente à TV. Estimava-se que quatro bilhões de pessoas viam e ouviam Cristiano falar sobre a novidade: em que consistia, como funcionava, como e por que acreditara e investira na ideia. Após agradecer aos colaboradores, inclusive ao Barba e ao Stein, a câmera foi dirigida lentamente para o monitor onde deveria aparecer, pela primeira vez na história da humanidade, a imagem de um desencarnado. Nenhum telespectador ousava piscar.

Então, o mundo incrédulo, atônito e perplexo viu a figura de um Stein mais novo surgir na tela. O cientista fez seus cumprimentos, transmitiu algumas mensagens, contou até piada e chamou o próximo convidado: um dos ídolos esportistas mais admirados e festejados pelos brasileiros. O Brasil inteiro chorou. Antes de sair de cena, repetiu o gesto que costumava fazer quando ganhava uma competição, gritando: “estou vivo!”. E apresentou o próximo convidado: um cantor de rock famosíssimo no mundo todo, para o delírio dos fãs. E assim, sucessivamente, cada um foi apresentando o seguinte: ex-presidente dos Estados Unidos, cineasta e ator, pintor consagrado, músico, compositor clássico, escritor, poeta, cientista, astros de Hollywood, santos, todos de renome mundial.

O mundo já não era o mesmo.

***

Cristiano era sem dúvida o personagem mais famoso e carismático do planeta, tanto no plano físico como no astral. Sua simples presença, com tão especial energia, provocava choros emocionados e até desmaios. A segurança particular precisou ser reforçada. Em suas viagens pelo mundo era tratado como *superstar* e os governos montavam esquemas de segurança muitas vezes maior que o dispensado a chefes de Estado.

Segunda-feira, oito da manhã, Cristiano, acompanhado dos pais, sobrevoava o Rio de Janeiro. Vinha da Suécia, aonde tinha ido receber o prêmio Nobel de Física. Ele chegaria no domingo, mas recebera milhares de *e-mails* pedindo que chegasse na segunda-feira. O governo brasileiro decretara feriado nacional, pois haveria desfile em carro aberto no Rio de Janeiro, em São Paulo, em Brasília e em Belo Horizonte. Quando a população ficou sabendo que Cris ganhara o primeiro Nobel para o país, comemorou como se o Brasil tivesse conquistado a Copa do mundo numa final com a Argentina.

Desnecessário dizer que a tal escola de samba foi campeã. A bateria e mais cem integrantes foram receber Cristiano no Galeão, cantando o samba enredo vencedor, acompanhados pela multidão que se fazia presente.

52

Se a Fazenda Santa Luzia já era uma maravilha, depois que Cristiano a comprou mais parecia um paraíso. Foi para lá que ele e os pais se dirigiram no final do dia, onde deveriam permanecer por uma semana descansando.

Sentado à sombra da árvore da lagoa, Cristiano pensava em quantas coisas realizara e quantas mais realizaria quando espalhasse pelo mundo toda a tecnologia e aparelhagem de captação das ondas Scott e Stein. De quanto sofrimento não estaria poupando o mundo levando esclarecimentos e cultura, principalmente espirituais, quer através dos livros, quer através da tecnologia.

Daí para frente pretendia retomar as palestras, escrever bastante, fazer workshops sobre espiritualidade, deixando aos técnicos os trabalhos relativos ao desenvolvimento tecnológico de suas descobertas, sempre, porém, acompanhando de perto e dando sugestões. Agora tinha um tempo bem maior para se dedicar aos estudos da espiritualidade. Quando tinha alguma dúvida que não conseguia dirimir por meio dos livros, procurava o Barba.

— Bom dia, Cris!

— Oi, Barba!

— Tô vendo que você está com dúvidas. Sei do que se trata, mas pode perguntar.

— Tenho um pequeno império econômico, mas acho que ele ainda vai crescer muito...

— Muito mais.

— Mas essa vontade que tenho de crescer e ganhar cada vez mais, ter mil projetos não é ter muito apego?

— Tá te incomodando?

— Não, mas parece que isso não tem fim.

— E não tem.

— Quando é que vou me conformar com o que possuo?

— Nunca.

— Como nunca?

— O espírito nunca se conforma com o que já conseguiu. Ele sempre quer o melhor do melhor do melhor. O maior do maior do maior. Esqueceu que o universo interior de cada um acompanha a expansão do universo? Esqueceu que o espírito está ligado à Fonte que é inesgotável e infinita?

— Não só está ligado como é a própria.

— Então, você é ilimitado. Todos somos ilimitados. Por que nos conformaríamos com limites?

— E onde entra o desapego?

— Você tem um conceito de desapego equivocado. Desapego é a faculdade de não se prender às ideias. Desapego não tem a ver com a posse de bens materiais, sexo, comida, amores. Claro que é preciso ter bom senso pra lidar com tudo isso pra que não o domine, senão você vai ser comandado, dirigido.

— Uai! Eu tenho tanto! Por que me preocuparia? Pra que eu teria apego? Por que me dominariam?

— A colocação não é essa. A colocação é: não tenho apego, por isso tenho tanto e cada vez mais. Nada me domina porque eu me domino. Não me preocupo porque já sou completo. O exterior...

— ... é o reflexo do interior.

— Percebeu? O de fora não pode mandar no de dentro. A criatura não pode mandar no criador. O efeito não pode mandar na causa. Quando você sente que é completo, o mundo de fora corresponde e lhe manda mais. Não pra completar, porque completo todo mundo já é, mas pra somar, porque nada nem ninguém completam você. Só você. Se por acaso algo lhe for tirado, você não vai junto e, se aquilo era realmente seu, depois retornará. Aliás, quando você se sente completo, nada nem ninguém têm o poder de interferir na sua vida. Nada nem ninguém consegue tirar o que é seu por direito divino.

"Então, a grande sabedoria pra se ter as coisas que se quer é: primeiro ser, pra depois ter, e não como a maioria acredita que é preciso ter as coisas pra então ser feliz. É preciso ser feliz primeiro. Não precisamos de motivo pra sermos felizes, porque todo mundo já tem consigo a alegria. É só sintonizá-la dentro de si. As coisas de fora não sustentam ninguém. Pode ver quantas pessoas têm tudo e não são felizes. O que sustenta e traz cada vez mais é o que está dentro. No Novo Testamento está escrito: "Todas as coisas são vossas". Também disse o rei Salomão: "Pois como imaginou na alma, assim é". E o que é imaginar na alma? É sentir, pois a alma é a parte de nosso espírito responsável por todos os bons sentimentos. Quando a pessoa se põe feliz com o que tem e com o que é, mais e mais terá e mais feliz será."

— Isso é muito bacana. Mas não entendi bem o que você quis dizer com "desapego é não se prender às ideias".

— Eu disse certa vez que você não sabe quem é, que ninguém sabe quem é.

— Me lembro.

— Como alguém que é ilimitado pode se prender à ideia de que é isso ou aquilo? Quem faz isso é a mente que aprendeu assim. Ela se porta assim pra se sentir segura. Ela não aceita que é ilimitada. Então, ela vai dizer: sou o Cristiano, filho de..., cientista, empresário, ganhador do Nobel, tenho essa personalidade etc. Quando você pensa assim, está preso, apegado a ideias. Está se limitando, esquecendo que é um espírito, herdeiro do Todo-Poderoso dono do universo. Você praticamente não tem apegos porque já desenvolveu essa faculdade em outras vidas. Mas se alguém lhe perguntar como fazer pra exercitar o desapego, diga-lhe que se desidentifique do que pensa que é, do que foi, do que fez, do que disseram, afirmando: *eu não sou o que aprendi; eu não sou o que faço; eu não sou o meu nome; eu não sou o meu passado; eu não sou o que me disseram; eu não tenho identidade; eu não sou o que experimentei; eu não me prendo a ideias; sou apenas o aprendizado, a faculdade desenvolvida, a virtude estabelecida; sou um espírito infinito* etc. Então, ficam-se abertas todas as possibilidades, pois o espírito que é ilimitado tem todas as possibilidades.

— As pessoas devem ficar com medo de perder sua identidade.

— Como eu disse, a mente acha que, se apegando a algo, se sente segura, mas é exatamente se prendendo a ideias que vai sentir insegurança, porque as ideias mudam, passam, o espírito não. É perdendo a identidade que você se encontra e se sente seguro.

— Por que dizem "essa mãe é muito apegada ao filho"; "esse homem é muito apegado ao dinheiro"?

— Porque, como você, eles têm um conceito errado de apego. Obviamente ninguém quer perder um filho, a casa, o carro. Isso é natural. Esse temor de perder algo não é apego, pois cada um preza o que tem. Apego é a ideia que a mãe tem do filho quando diz: "Esse filho é meu, ele é assim, assado, vai ser isso, aquilo". Essas ideias são da mente dela. Ninguém é de ninguém. O filho não é isso ou aquilo. Uma pessoa apegada é aquela que está dominada pelas ideias da coletividade: *sou mãe, por isso só posso, só devo fazer assim;*

sou homem, portanto posso isso, não posso aquilo; isso é ético, aquilo não; sou casado, por isso é imoral fazer aquilo; sou padre, por isso tenho que me comportar assim; a matéria é mais importante.

"Não é o fato de ter posses que caracteriza o apego, mas estar preso às ideias, ao senso comum no qual prevalece a crença de que o papel desempenhado na sociedade, de que o material é mais importante que tudo, desconsiderando o lado espiritual. Não adianta vender tudo e dar aos pobres pra se considerar uma pessoa sem apego material, se continuar presa às ideias. Há muitos ricos desapegados e muitos pobres apegados, presos às ideias, à mentalidade do senso comum.

"Ninguém é uma ideia. Ninguém é uma experiência, mas o que obteve com a experiência: o conhecimento, o aprendizado, a virtude estabelecida, a faculdade desenvolvida. Isso permanece pra sempre, enquanto as ideias vêm e vão. Desapegue-se da ideia de quem você foi, é ou será.

"Ter desapego não é deixar de lado os bens materiais. Ao contrário. É ter posses, sexo, comida, amizades, relacionamentos, sem ficar dependente deles. E, quanto mais se tem, mais livre a pessoa se encontra de tudo isso, como você."

— De novo o tal do controle da mente.

— Todo mundo só faz isso aqui na matéria. Quando se domina o pensamento, se domina a matéria e a reencarnação já não faz mais sentido.

— Então, o espírito adora a matéria?

— O espírito se realiza na matéria. Quem não tem conquistas materiais está em débito com seu espírito, pois é espiritual ter bem material.

— E os monges que se afastam dos bens materiais?

— Tanto faz. É uma opção como outra qualquer. No seu mundo particular lidarão com a matéria. Se não se desprenderem das ideias, não adiantará nada. Muitos monges pedem dinheiro pra sobreviver. Todas as religiões que pregam o desapego dos bens materiais precisam dele pra manter sua estrutura. Por que estamos no mundo material? Pra conviver com a matéria, lidar com ela, possuí-la, dominá-la e não nos afastarmos dela. A matéria é a melhor amiga do espírito.

— Seu conceito de matéria não se restringe às posses materiais, né, Barba?

— Quando falo em matéria, não estou me referindo apenas aos bens materiais, ao dinheiro, mas também ao sexo, à comida, às drogas, à fama, ao sucesso, aos relacionamentos familiares e amorosos. O domínio da matéria não se caracteriza pela abstenção dela, mas por sua posse, sentindo-se bem com ela, dela desfrutando, usufruindo sem se tornar dependente. As coisas de fora existem para a gente se divertir e não para nos dominar.

53

Cristiano tinha um laboratório particular com equipamentos de última geração, e a universidade onde realizara seus estudos e pesquisas, graças ao ilustre aluno, era uma das mais procuradas por estudantes do mundo todo. Cris subvencionava a escola para abrigar alunos que não tinham condições financeiras de frequentá-la.

Aos vinte e nove anos, cinco livros tratando da espiritualidade e do mundo dos desencarnados e um livro técnico versando sobre magnetismo e ondas, em diversos idiomas, todos *best-sellers*, Cristiano deixou de ser milionário para pertencer ao seleto grupo dos bilionários. A BSW já tinha franquias em centenas de cidades espalhadas pelo mundo, inclusive em Pouso Alegre, e a demanda aumentava a cada dia. Cada cidade podia adquirir quantos estabelecimentos quisesse, cada um com uma frequência diferente.

Inúmeras famílias puderam conversar com seus entes queridos que estavam no astral. O tempo de transmissão era limitado a três horas diárias, sempre observada a permissão do astral. Muitas famílias ficavam tristes ao saberem da impossibilidade de se comunicar. Não diziam o motivo específico, mas a maioria sabia que era devido ao parente se encontrar em tratamento ou por permanecer ainda em um plano inferior. Então, as orações em suas intenções aumentavam. Muitos acendiam velas, enviavam luz, outros faziam oferendas, cada povo seguindo o ritual à sua maneira.

Dona Cândida e seu Antero já tinham condições de serem vistos por sua família em Pouso Alegre. Porém, Cristiano, a pedido do Barba, dissera a Ana Maria que eles estavam aguardando um momento especial.

Quando as transmissões eram de interesse geral, não precisavam de aparelhos específicos para sintonizar. Cada lar podia assistir pelo próprio aparelho de televisão, pois a imagem era captada na central da BSW em Los Angeles. Uma câmera comum captava a imagem do monitor e a transmitia para o mundo todo, como fora feito por ocasião do anúncio da descoberta da nova tecnologia.

Todo dia primeiro era feita uma transmissão dessa categoria, com horário previamente divulgado. Geralmente eram imagens de lugares do astral, do que as pessoas faziam, de entrevista com figuras mundialmente conhecidas, de concertos musicais, de exposições, de diversas artes, de fatos marcantes que aconteceram na Terra e que se encontram registrados nos arquivos do astral e agora são passados nos museus de lá.

Os comerciais que antecediam a divulgação das imagens, pagos por multinacionais, atingiam preços estratosféricos, pois eram vistos por bilhões de pessoas. Sempre era transmitida uma mensagem de interesse da humanidade e do planeta, geralmente ligada à ecologia. Cristiano aproveitava a ocasião para falar durante três minutos sobre o valor da espiritualidade. Quando o assunto era de interesse de apenas um país, as imagens eram mostradas da mesma forma, apenas para aquele país.

No mês de dezembro, além do dia primeiro, abriram uma exceção e na semana que antecedia o Natal iriam transmitir diretamente de um museu astral para o mundo todo, duas horas por dia, as passagens mais marcantes da vida de Jesus, como aconteceram de fato. Era o evento mais esperado de todos os tempos.

Quanto a Jesus, muitas pessoas perguntavam a Cristiano se ele achava que Cristo voltaria. Quando certa vez conversou a respeito disso com Barba, ele não disse nem que sim nem que não. Ficou apenas nas hipóteses.

— O que você acha, Cristiano?

— Não sei, Barba. Pelo que você me disse, acho muito difícil um corpo físico suportar tanta energia, tanta luz.

— Isso é verdade, mas tem um dado que não lhe passei.

— Qual?

— Muitos espíritos, quando reencarnam, não vêm na totalidade de sua Consciência.

— Como assim?

— Parte reencarna e parte permanece no mundo espiritual.

— Isso é uma novidade pra mim!

— Já disse várias vezes que ninguém sabe quem é.

— Sim... Quer dizer que uma parte minha pode não ter se encarnado?

— É possível. Sua e de muitos espíritos que pretendem desenvolver alguma faculdade e desempenhar trabalhos específicos no sentido de ajudar a humanidade a evoluir.

— Que interessante!

— Vamos supor que Jesus quisesse reencarnar com apenas três por cento de sua Consciência Crística...

— Então, um corpo físico poderia suportar.

— Exatamente.

— Então, os que acreditam que ele vai voltar podem estar certos?

— Podem até estar. Mas duvido que alguém o aceitaria.

— Por quê?

— Primeiro, os que aguardam sua vinda esperam que ele desça dos céus numa carruagem dourada, por entre nuvens, fazendo um estardalhaço danado, com trombetas, mil anjos e o Pai atrás dizendo: "Esse é meu Filho amado que volta para separar o joio do trigo". Segundo, que mataria meio mundo de susto. Você acredita nisso?

— Claro que não, Barba!

— Se ele voltasse, de que forma você acha que ele viria?

— Como veio da outra vez, nascendo como um ser humano, simplesmente.

— Então, o crucificariam de novo.

— Será?

— Imagine alguém sair por aí dizendo que é Jesus Cristo...

— No mínimo o chamariam de louco e mandariam interná-lo.

— Antes de tudo ele não teria nenhuma religião. Não seria católico, nem evangélico, nem espírita, nem budista, nem nada. Então, as religiões não lhe dariam a mínima. Muitos até zombariam dele.

— É mesmo! E se fizesse milagres?

— Mesmo assim. Se não for de uma religião, vão dizer que é obra do capeta. Diriam que é um lobo em pele de cordeiro, pois o chifrudo é tinhoso, faz de tudo pra se mostrar bonzinho, até conquistar as pobres vítimas incautas.

— Hahaha! É verdade!

— Então, ele não seria tão ingênuo assim de se revelar.

— Ele poderia muito bem vir disfarçado e fazer seu trabalho no anonimato.

— Poderia.

— E o que respondo às pessoas que me perguntam se Jesus vai voltar?

— Diga que não sabe. Diga que carruagem de fogo e toda aquela parafernália apocalíptica estão fora de cogitação, são pura fantasia. Explique rapidamente o que conversamos aqui.

— Tá certo!

***

A humanidade, principalmente a cristandade, aguardou impaciente a chegada do dia dezoito de dezembro. Como da primeira vez, o mundo parou em frente à televisão. No Brasil, o governo decretou feriado nacional no primeiro dia e, em muitas cidades, ponto facultativo nos dias restantes. Mesmo nos países cujo fuso horário não facilitava, milhões de pessoas ficaram acordadas. Não tiveram paciência para gravar e assistir depois como muitos fizeram.

Nos seis dias seguintes, as cenas se repetiram no mundo. No final, as sensações, as emoções, a credibilidade ficaram longe de ser unânimes. A realidade mostrada era bem diferente da história escrita, falada e filmada. Primeiro, a maioria aguardava um Cristo com lindos cabelos loiros até os ombros, olhos azuis, e vira um homem moreno, olhos castanhos escuros, como eram na época os habitantes de Nazaré, com os cabelos deixando a desejar. Até sua voz era bem diversa daquela do imaginário das pessoas.

Desde o nascimento até a crucificação, tudo foi muito diferente. Mesmo a história de Judas não batia. As pessoas queriam um Judas feio, desleixado, barbudo, com cara de safado, e viram um homem instruído, arrumado e boa-pinta. As figuras de Nossa Senhora e de São José também divergiram bastante. Os que acreditaram se emocionaram chegando às lágrimas, mas muitos se decepcionaram, outros não acreditaram, dizendo tratar-se de uma farsa, de uma blasfêmia. Em países mais radicais houve vários protestos, queimando-se inclusive fotos de Cristiano.

54

Aos trinta e dois anos Cristiano se considerava uma pessoa plenamente realizada. Sua fortuna lhe possibilitara ampliar significativamente os trabalhos da Fundação. O que fez em Belo Horizonte, espalhou por todas as capitais brasileiras e em países mais carentes da América Latina, África e Ásia. Na universidade em que estudara, mantinha uma equipe de cientistas médicos que desenvolvia pesquisas na área da genética com foco nas células-tronco e na nanotecnologia. Os resultados práticos estavam bastante avançados e a tecnologia muito em breve seria exportada a outros países. Alguns tipos de câncer já podiam ser curados, pessoas paraplégicas voltaram a andar e cegos a enxergar. Qualquer órgão vital lesado já tinha condição de ser restaurado. Assim, enfermidades comuns, como insuficiência cardíaca, renal e diabetes, logo, logo seriam coisas do passado. Dois médicos da equipe ganharam o prêmio Nobel de medicina.

Ana Maria andava encasquetada com as viagens que Cristiano vinha fazendo a Goiânia nos últimos tempos. Foram cinco em dois anos. Estranhou o fato de ele nunca tê-la convidado, nem a Caio, para irem juntos, como geralmente fazia.

— Filho, por que esse interesse por Goiânia?

— Porque gosto de lá, mãe. Me sinto tão bem com a energia do planalto central! Eu não fico só em Goiânia. Aproveito e visito toda aquela região. Você e o pai deveriam conhecer aqueles lugares.

Aninha teve vontade de dizer que na próxima viagem eles iriam juntos, mas achou melhor não se convidar.

— Mãe, neste Natal quero fazer uma festa de arromba aqui na Fazenda Santa Luzia: muita gente, muita comida, muita bebida, muitos presentes, fogos, muita música e muita dança...

— Oba! Alguma comemoração especial?

— É mais que uma comemoração. Será uma celebração. Tô tão contente por tudo o que tem acontecido com a gente.

— Você é uma pessoa feliz, filho, mas, depois que voltou de Goiânia, parece que seu contentamento aumentou. Seus olhos estão brilhando mais. Acho que...

— Acha o quê, coroa?

— *É o amoooor... que mexe com minha cabeça...* — cantarolou Aninha se dirigindo à cozinha.

— Ih, mãe! Pode parar. Não é nada disso!

— Me engana que eu gosto!

— Tá bom! Fica aí achando. Cadê o pai?

— Foi pra cidade falar com o tio Reinaldo.

— Mãe, por favor, liga pra ele convidar o vô e a vó e pede pro tio vir. Quero tratar da festa. Quero todos os parentes aqui no dia de Natal, inclusive o tio Rique e a família, mais os empregados da fazenda. Vou pedir pro pai falar com a Paola pra deixar a Carla vir com os avós, como acontece toda vez que a gente vem pro Brasil.

— Não sei se ela vai querer passar o Natal longe da filha.

— É mesmo. Não tinha pensado nisso.

— Em uma semana, será que vai dar tempo?

— Pra festa sempre dá tempo.

***

Quatro dias antes do Natal, Cristiano avisou Aninha:

— Mãe, tô indo pra Goiânia.

— Pra Goiânia de novo, filho? Fazer o que lá? Como você vai?

— Vou de carro, uai!

— E volta quando? O Natal está aí.

— Volto na véspera. Não se preocupe.

— Vai se pôr sozinho nessas estradas?

— Eu gosto e não tem problema nenhum. Já fiz isso centenas de vezes.

— Não falei que aí tem?

— Tem o quê, curiosa? Vou buscar seu presente, viu?

— Desde quando nora é presente?

— Tchau, mãe! Tchau, pai!

— Tchau! Tchau! Vai com Deus.

Tia Laurentina e a família chegaram dois dias antes da festa.

— Cadê o Cristiano, Aninha? — estranhou a tia.

— Foi pra Goiânia. Pode?

— Pra Goiânia? Fazer o que em Goiânia? Ele não vai passar o Natal aqui?

— Vai. Ele chega na véspera. Estou desconfiada de que arrumei uma nora.

— Uma nora?

— Ah! Agora que me caiu a ficha! Estou desconfiada não, tenho certeza. Ele andou saindo várias vezes com uma brasileira nos Estados Unidos e ela era de Goiânia. Safado! E vive dizendo que não.

— Ah é? Como ela é?

— É linda. Sabe essas loiras bronzeadas?

— Sei. Elas têm uma pele tão bonita!

— Cá entre nós, tomara que ela esteja grávida!

— Não é nada difícil.

— Acho que eles vão aproveitar a festa pra anunciar o casamento.

— Será, Aninha? Não acho que o Cris seja um rapaz de firmar compromisso com uma mulher. Não é do feitio dele.

— Mas, com o tempo, todo mundo sente necessidade de ter um filho, de formar uma família...

— Nem todo mundo.

— Sei lá! Vamos aguardar. Ele me disse que foi buscar meu presente.

— Que presente será esse?

— Quem vai saber? Nunca sabemos o que se passa na cabeça dele. Toma cada decisão repentina que eu e o Caio ficamos abismados. E não é que sempre dá certo?

— Ele, além de ser inteligente, tem muita sorte.

— Ele me disse uma vez que não existe sorte nem azar. Existem pessoas que aproveitam as oportunidades que surgem e que cada um atrai pra si o que precisa.

— Nisso eu acredito.

Lá pelo meio-dia da véspera de Natal o carro de Cristiano apontou na estrada. Atrás vinha o do Reinaldo.

— Caio, tia, o Cris tá chegando. Corram — gritou Aninha que estava plantada na janela desde cedo.

Caio e Laurentina chegaram correndo e logo atrás doutor Vasconcelos, dona Aurora, Robinson e André, tio Rique e sua família, com a curiosidade a mil. Assim que os dois carros estacionaram, todos os presentes se aproximaram. A decepção foi geral quando viram Cris descer do carro sozinho. Ele havia combinado com o tio Reinaldo e Izabelle para levarem o presente em seu carro. Imediatamente todos os olhares se dirigiram para o carro de Reinaldo. Uma mulher desceu do carro com uma espécie de cesto azul nas mãos. Quem seria ela? A moça de Goiânia que não era. O que havia naquele cesto?

— Mãe, pai, vô, vó, tia, essa é dona Clarice, a babá deste bebê — apresentou Cris, descobrindo mais a cabecinha do bebê que dormia no cesto.

— Nossa! Que coisa mais fofa! Que menino lindo! — diziam todos.

— De quem é essa criança tão linda, filho? — quis saber Aninha.

— É o seu presente.

— Meu presente? Pelo amor de Deus, filho! Não vai me dizer que...

— Sim. É seu neto. É seu neto, pai. É seu bisneto, vô e vó. Podem comemorar.

Todos bateram palmas, soltando gritos e dando pulos de alegria, enquanto os pais, os avós e a tia se abraçavam e se desmanchavam em lágrimas. Amainadas as emoções, Aninha perguntou:

— Cadê a mãe dele?

— Ficou em Goiânia.

— Por que ela não veio?

— Porque não era pra vir, uai!

— Como não?

— Já, já eu explico.

— Fale a verdade. É a moça que saía com você em Los Angeles, não é?

— É, mãe! Tá satisfeita agora, coroa?

— Eu sabia...

— Vai, vai, sabia nada!

— Não é verdade, tia Laurentina?

— Ela falou sim, Cris, que você andava enrabichado com uma moça linda de Goiânia.

— Ela apostava que eu estava namorando.

— E não está? Por que ela não veio?

— Porque não estamos namorando, não vamos casar e não vamos ficar juntos.

— Uai! E o filho? Quem vai criar?

— Vai ficar com você e o pai.

— Com a gente? — perguntaram atônitos ao mesmo tempo Aninha e Caio.

— Sim. Com vocês. Se vocês quiserem, é claro.

— Meu Deus do céu! Claro que queremos, né, Caio?

— Eu quero muito — respondeu Caio —, mas e a mãe dele?

— Vejam este documento.

— O que é isso?

— É um contrato de barriga de aluguel.

— Barriga de aluguel? Nossa! Será que isso vai dar certo? — questionou Ana Maria ante a perplexidade de todos.

— Já deu certo, mãe! A moça tem uma cabeça legal e aceitou minha proposta numa boa.

— Mas ela não chorou? Não se arrependeu quando viu o nenê?

— Ela nem viu e disse que não quer ver pra não se apegar. No futuro, se ela quiser, poderá se revelar e visitar o filho. Está tudo no contrato.

— Meu Deus! Cada uma... — suspirou Ana.

— E você não vai criá-lo? — indagou Caio.

— Claro que vou. Vou estar sempre ao lado dele, dar todo o apoio que precisar, mas quero que ele seja cuidado por vocês.

— Não falei, Aninha, que não é do perfil do Cris ter compromisso com uma mulher?

— Falou mesmo, tia Laurentina? — perguntou Cristiano, rindo.

— Falei, sim!

— E acertou.

— E quem vai amamentar o bebê?

— Você, né, mãe? — disse Cris, seguido de uma sonora gargalhada dos presentes.

— Não brinca, Cris! Quem vai amamentá-lo?

— Estou falando sério, mãe. Você e a babá. Aluguei um apartamento em Goiânia e vocês duas vão morar lá por seis meses. Todo dia a mãe dele vai mandar entregar seu leite. O pai volta comigo pra Los Angeles e uma vez por mês vai visitá-la. Isto é, se vocês toparem.

— Esse meu filho pensa em tudo... Já topamos, né, Caio? — respondeu Aninha olhando para o marido que assentiu na hora.

— Depois de seis meses vocês duas vão pra Los Angeles também. Já combinei tudo com dona Clarice. Ela está adorando ser a babá do Rafael.

— Rafael? Meu neto se chama Rafael. Essa coisinha encantadora é nosso neto, Caio — disse Aninha chorando enquanto tomava o bebê no colo e mostrava para o marido, visivelmente emocionado: — É o melhor presente de Natal que podíamos ganhar.

— Concordo, meu amor.

— Não disse, tia Laurentina, que esse moleque vive nos surpreendendo?

— A vida tem graça porque é surpreendente, não é mesmo? — ponderou Cristiano.

— Principalmente quando são surpresas boas como esta — acrescentou Caio.

A festa de Natal, que já se afigurava um sucesso, com a presença de Rafael foi um arraso.

55

Antes do retorno a Los Angeles, Cristiano, como sempre fazia quando ia à Fazenda Santa Luzia, foi descansar e apreciar a natureza sob a árvore da lagoa. Ali tinha formado um ambiente propício ao relaxamento mental, como aquele às margens do Grand Canyon.

A mente nunca se desliga, mas quando ela relaxa, deixando à parte as ilusões do ego, as preocupações, os fatos, as pessoas, abre espaço para a elevação, isto é, para um contato maior com a alma e com o espírito. É o que acontece nos processos de meditação. Nessa frequência muitas vezes ressoam os espíritos mais elevados e o contato com eles é facilitado. É nessa hora que acontecem os *insights*, a inspiração, uma grande ideia, os toques geniais, pois o espírito é tudo isso.

Os acordes de uma linda música começavam a ser ouvidos. Cristiano, embevecido, procurou saber de onde vinha o som daquela música suave que ele tanto apreciava: a Ave Maria, de Schubert. Não conseguiu precisar a direção. A música parecia vir de todos os lados.

— Oi, filho!

— Fiiiilho? Uai! Quem é você? — perguntou hipnotizado com a beleza daquela figura feminina que se apresentava com magníficas vestes e uma aura deslumbrante.

— Já nos vimos em outra ocasião.

— Sim! O rosto me é familiar, o sorriso..., mas as vestes, a aura...

— É que da outra vez apareci diferente. Então... veja agora.

— Claro! Claro! Como eu podia me esquecer? — respondeu Cris emocionado. — Mãe Maria... Maria... Mãe... de Jesus! — completou com os olhos umedecidos. — Nem sei o que dizer! As palavras me fogem...

— Não precisa dizer nada, apenas sinta.

Cristiano obedeceu-lhe e, no mesmo instante, foi envolvido por um sentimento de amor e ternura imenso, nunca experimentado antes. Sentiu realmente o que era a pura energia feminina, o que era o colo materno por excelência. Renunciaria a tudo que conseguira até então para permanecer ali. Até a vontade enorme de chorar que a princípio teve se desfez. O que era emoção transmutou em profundos sentimentos. Nada, absolutamente nada mais importava.

Passados alguns instantes, que Cris não soube precisar se foram dois, cinco minutos, uma hora ou mil anos, pois o tempo, que é relativo, deixou de existir, ele ouviu a voz tão feminina e tão meiga dizer:

— Filho, agora preciso ir. Tome esta visita como um presente por esse coração tão generoso que você tem. Fique tranquilo que em breve nos veremos outra vez, e mais constantemente.

Com essas palavras, Mãe Maria desapareceu. Cristiano, sob o efeito da dose tão elevada de energia, permaneceu deitado ali sobre a grama com o olhar perdido no azul do céu por quase uma hora.

— Oi, Cris! Sinto muito não ter a mesma energia, mas...

— Oi, Barba! Que bom que você apareceu! Queria mesmo compartilhar com alguém esse momento tão sublime.

— Sei muito bem o que você está sentindo.

— Sabe? Você também já sentiu isso?

— Muitas vezes. Sou muito amigo da Mãe Maria.

— Amigo?

— Há pelo menos dois mil anos.

— Caraca! Você é uma pessoa de sorte, hein?

— Já lhe disse que sorte não existe.

— Eu sei. Foi força de expressão. Nem azar. O que existe são pessoas que aproveitam as oportunidades que aparecem.

— Aprendeu bem, hein?

— Esqueceu que sou um ótimo aluno?

— Que aproveita todas as oportunidades que aparecem.

— Você está me enrolando, Barba! Não mude de assunto. Amigo de Maria há pelo menos dois mil anos?

— Sim.

— Então, você foi contemporâneo de Jesus?

— Digamos, mais que contemporâneo.

— Barba, você está me escondendo o jogo. Afinal de contas quem é você? Já somos íntimos o suficiente pra você me contar.

— Você poderá se decepcionar ou se deslumbrar.

— Não tem problema.

— Tem sim. Por mais evoluída que seja uma Consciência, quando o espírito vem pra matéria sofre uma influência muito forte do ego, podendo experimentar a dor. Nem Jesus se livrou disso. Calma, meu querido! Em breve você saberá.

— Tá certo. Mas... Você pode satisfazer minha outra curiosidade?

— Depende.

— Quem eu fui na última encarnação?

— Piorou! Aí é que o ego pode pegar forte. A decepção ou o deslumbramento pode subir às alturas. Mas essa pergunta é normal. As pessoas têm uma curiosidade muito grande de saber quem foram em vidas passadas e uns até procuram fazer regressão. Tudo bem. Não tenho nenhuma objeção, mas é recomendável que seja pra fins terapêuticos e o processo seja assistido por um profissional conceituado, pois há muito charlatanismo nessa área. Todavia, se for só por mera curiosidade, os resultados poderão ser frustrantes. É que a maioria acha que foi o rei tal, a Cleópatra, o sábio tal, Napoleão, uma heroína, um benfeitor. Ninguém diz que foi prostituta, homossexual, ladrão, bandido, corrupto, assassino. E isso é o que mais foram. Mas eu entendo. São coisas do ego.

— É o meu caso. É só por curiosidade.

— Então, deixe pra lá. Não vai lhe acrescentar nada. Sua vida não está boa?

— Tá ótima!

— Então? Uma curiosidade a mais, uma a menos...

— Mãe Maria me disse que vai aparecer brevemente.

— E mais constantemente.

— Eu ficaria aqui pelo resto da vida, só sentindo e desfrutando sua presença.

— Mas você tem mais o que fazer.

— Eu sei.

— Por falar nisso, sua energia que estava tão boa caiu bastante com esses questionamentos. Você percebe o que a mente faz?

— Tudo se resume no que fazemos ou não com a mente.

— Pra voltar ao mesmo padrão, relaxe primeiro o corpo, depois a mente. Não ligue para os pensamentos que surgirem. Deixe passarem sem resistir. Imagine-se deitado no colo da Mãe Maria. Entre em sintonia com a imagem dela novamente. Sinta sua beleza, sua energia, seu amor... Isso... Isso. Agora também vou me retirar.

Cristiano conseguiu voltar ao estado anterior e permaneceu ali até cair no sono. Foi acordado por Robinson e André que, tinham chegado para pescar.

56

Ao retornar a Los Angeles após uma visita que fez à Índia e à China, a convite de universidades locais, Cristiano disse a seus pais:

— Pai, mãe, preparem-se que na próxima semana vamos pro Brasil.

— Por que essa viagem tão repentina? — estranhou Ana.

— Não sei. Há dois dias sinto uma vontade muito grande de ir pra fazenda.

— Por acaso é alguma comemoração? — indagou Caio.

— Não, pai. Mas já que você tocou no assunto, acho que seria bom fazer uma festa com todos os convidados que tivemos no Natal.

— Ai! Que maravilha! — exultou Aninha, acompanhada por dona Clarice.

— Mãe, ligue pro tio Reinaldo e peça pra ele organizar tudo.

— É pra já.

— Quanto tempo vamos ficar no Brasil?

— Não sei, pai. Talvez uma semana, um pouco mais.

Três dias antes da viagem, Cristiano resolveu passar um dia com Rafael no Grand Canyon. Quis que fossem só os dois de carro, na companhia apenas do motorista particular, para espanto dos pais e de dona Clarice, que deixou tudo preparado para o bebê. Era a primeira vez que ele levava Rafael àquele lugar tão especial.

No trajeto, Cris foi curtindo o filho, sempre no seu colo.

— Não sei quem é você, quais foram suas escolhas, filhão, mas tomara que você seja tão feliz quanto o papai tem sido.

Chegando às imediações do Grand Canyon, Cristiano já começou a sentir a vibração energética peculiar. Isso lhe favoreceu o relaxamento mental, possibilitando sintonizar uma frequência espiritual elevada e experimentar o estado de mansidão. Foi como se tivesse atravessado um portal.

Ao chegar ao local costumeiro, pediu que o motorista se afastasse, deixando-os a sós. Assim que se sentou à margem do imenso vale, com o filho no colo, aquilo que estava sentindo imediatamente se potencializou como se os céus os abençoassem. Naquele sentimento tão maravilhoso, canalizou toda a energia para o filho, que o fitava com um olhar terno e um leve sorriso. Era um misto de amplidão, contentamento, serenidade, bem-aventurança, amor paterno e profunda gratidão.

Esse sentimento perdurou por toda a viagem de volta, até o bebê pegar no sono já em Santa Mônica. Assim que chegou, Cristiano entregou o filho a Ana, subindo para seu quarto sem dizer uma palavra para não quebrar a magia. Ele parecia estar alheio a tudo, silencioso, porém sereno. Os pais estranharam seu comportamento, mas evitaram fazer perguntas. Só no dia seguinte Cris explicou o que havia acontecido.

57

Dois dias após a festa, além de Cristiano, apenas seus avós, sua irmã Carla, a babá e seus pais ainda permaneciam na Fazenda Santa Luzia. Era sempre assim. Enquanto Cristiano não voltasse para os Estados Unidos com a família, eles não arredavam o pé dali. Inclusive, por diversas vezes, a pedido do próprio Cristiano, tinham ido todos juntos para a Califórnia.

Ficou combinado que viajariam naquela sexta-feira, às três da tarde, para São Paulo, onde o jatinho sempre permanecia quando eles iam para Pouso Alegre. O dia estava lindíssimo, com um céu de brigadeiro indicando que não havia a menor possibilidade de chuva. Após o almoço, Cristiano beijou Rafael e disse à sua mãe que iria até a lagoa. Sua intenção era conversar com o Barba a respeito do que tinha acontecido no Grand Canyon. Ao se aproximar da árvore, avistou o guia que já o aguardava.

— Olá, Cris!

— Oi, Barba!

— Foi uma experiência e tanto, né?

— Eu já havia sentido isso, mas não com tanta intensidade.

— Você experimentou o que chamamos de estado de iluminação. É uma situação que não há como explicar por meio da mente, uma vez que a mente é linear, temporal e se pauta pela necessidade de referências, enquanto o que você experienciou transcendeu o entendimento mental, atingiu a multidimensionalidade e a atemporalidade, sem nenhum equivalente na mentalidade. Trata-se de uma circunstância acessível apenas por intermédio do sentimento.

— Quer dizer que sou um iluminado?

— Há muito tempo, querido.

— Eu pensava que estava longe de experimentar o que Buda, Jesus e outros sábios e santos sentiram.

— Você não sabe quem você é.

— Você já disse que ninguém é o que pensa que é.

— Exato.

O diálogo se estendeu por quase uma hora. Foi interrompido por um barulho longínquo de trovão.

— Uai! Você ouviu isso, Barba?

— Sim. Foi um trovão.

— Mas a previsão do tempo é de sol nos próximos três dias.

— E vai fazer sol.

Mal Barba tinha dito isso e um barulho de trovão mais forte fez-se ouvir. Cristiano olhou para o horizonte e percebeu uma barra de nuvens negras que se levantava.

— Olha lá, Barba! Vai chover. Que estranho!

— Não vai chover.

Um novo trovão e as nuvens rapidamente aumentaram, ainda mais ameaçadoras.

Na fazenda todos estavam perplexos com a virada inesperada do tempo. Aninha, preocupada, pediu que fechassem as janelas, e nervosa disse:

— E Cristiano que não me aparece... Já são cinco para as três, tá tudo pronto pra sairmos e agora esse tempo...

As nuvens carregadas se aproximaram com uma velocidade espantosa. Os fortes ventos quase dobravam as árvores. Os trovões vinham um atrás do outro. Ao ouvir um trovão mais forte, Aninha levou um tremendo susto, soltou um grito, tampando os ouvidos.

— Virgem Maria! Caio, pelo amor de Deus, vai ver onde se meteu esse menino! Ele disse que ia até a lagoa.

Caio imediatamente passou a mão num guarda-chuva e correu em disparada em direção à lagoa, lutando contra o vento.

O céu estava praticamente tomado pelas nuvens negras.

— E você falando que não ia chover! Você bebeu, Barba?

— Não vai chover. Fique tranquilo.

— Minha mãe deve estar num desespero só!... Ai, caramba! Esqueci que vamos viajar. Vou voltar correndo pra casa!

— Não. Vocês não vão pra São Paulo!

— Como não?!

— Você vai fazer outra viagem muito mais importante.

— Outra...

Nesse instante, um raio mais forte clareou a escuridão e em segundos o céu se abriu e o sol voltou a brilhar, enquanto o sino da matriz misteriosamente começou a badalar, para espanto do padre e do sacristão.

58

— Barba, o que aconteceu? Que lugar maravilhoso é este? A gente não estava na lagoa? Preciso viajar pra São Paulo...

— Calma, Cristiano! Primeiro, vou mostrar meu palácio.

— Seu palácio? O que está acontecendo?

Como já havia lido sobre viagens astrais, ou desdobramento — como muitos dizem —, que consiste na saída do corpo astral enquanto a pessoa dorme, Cristiano logo deduziu que estava nesse estado alterado de consciência. Mas estranhou porque não estava dormindo.

— Barba, a gente pode ter desdobramento sem tá dormindo?

— Não é comum, mas algumas pessoas conseguem.

— E eu tô agora?

— Tá.

— Caraca! — exclamou radiante porque sempre quis ter uma experiência dessas, ainda mais com cem por cento de lucidez. — Que lugar esplendoroso este em que você mora! Que luminosidade! Que aroma suave! Olha essas colunas de mármore branco! Os desenhos do piso! Meu Deus! Todo em mármore de diversas cores!

— Eu tenho bom gosto.

— Põe bom gosto nisso!

— Todas as paredes, pisos, escadas e colunas são de mármore e todos os lustres, vitrais e alguns objetos são de cristal. Está vendo aquela estátua grega?

— Que coisa linda!

— É de alabastro de calcite. Depois vou lhe mostrar a estátua de uma mulher, feita de uma única esmeralda.

— Quem pintou aquele quadro renascentista tão grande?

— Meu amigo Michelangelo. As estátuas também são dele.

— Você tá bem de amigos, hein?

Cada sala, cada canto do palácio provocavam suspiros em Cristiano. E pensar que ele ainda nem tinha visto os jardins com as crianças brincando, com canteiros de flores indescritíveis, algumas com luz própria...

— Barba, decididamente aqui é o céu!

— É mesmo. O céu está onde você está. O exterior é o...

— ... reflexo do interior. Por falar nisso, antes de a gente prosseguir, deixe eu lhe falar uma coisa. Desde que cheguei aqui, está tudo muito bonito, fascinante, mas não estou me sentindo bem.

— Eu sei. Percebo uma energia muito densa envolvendo-o.

— O que é esse aperto no coração, essa angústia, essa tristeza? Nunca senti isso.

— Não é nada seu. São dos seus parentes, principalmente dos seus pais. Como é muito forte, o pegou, mesmo você estando focado na beleza que o cerca.

— Dos meus parentes? Como assim? Por falar nisso, está na hora de eu voltar pro meu corpo. Meus pais tão me esperando pra viajar.

— A viagem foi suspensa. Não lhe disse?

— Suspensa?

— Você já vai entender — respondeu Barba enquanto adentravam uma sala de uma beleza estonteante.

— Caramba! Quem são essas duas mulheres deslumbrantes?

— São minhas companheiras.

— Uau! Você não é fraco não, hein, Barba? — exclamou Cris ao ver que as mulheres, lindamente vestidas, vinham ao seu encontro exibindo sorrisos encantadores.

Ao se aproximarem, Madalena e Rebeca beijaram o rosto de Cris, e logo em seguida Barba pegou nas mãos das duas pedindo que fizessem um pequeno círculo envolvendo Cristiano. Concentrados, os três permaneceram assim por dois minutos.

— Como está se sentindo agora?

— Agora tô bem. Passou a angústia. Tô leve. Que bênção! Que energia boa! Agora tô no paraíso por inteiro. Eu vi sair de vocês, principalmente da fronte e do peito, fachos de luz em tom verde azulado, e pelas mãos fazendo um círculo dourado.

— Às vezes a energia densa é tão forte que sozinhos não conseguimos nos desvencilhar.

— Muito obrigado!

Barba levou Cristiano para uma sala especial, onde os aguardavam oito pessoas: quatro homens e quatro mulheres que os receberam amavelmente. Nessa sala, como se fosse um escritório, também havia equipamentos de trabalho.

— Cris, sente-se aqui nesta almofada ao meu lado.

— O que é esse aparelho?

— É um computador. Lembra quando lhe falei da nossa tecnologia?

— Lembro, sim.

— Veja, vou ligar só com o pensamento.

— Que legal!

— Agora vou acessar o arquivo que nos interessa.

— Que tipo de arquivo?

— Onde estão registradas suas escolhas.

— Minhas escolhas?

— Sim. Agora você vai saber de tudo. Todas as suas curiosidades serão satisfeitas. Antes de tudo, deixe eu me apresentar.

— Como se apresentar, Barba?

— Você não queria saber quem eu sou?

— Claro! Claro!

— Muito prazer, Jonas.

— Jonas! Que Jonas?

— O Jonas, uai!

— Não acredito, cara! Você é o Jonas?

— Sou. Andaram contando algumas mentirinhas a meu respeito. Mas não me incomodo. Ao contrário, quanto mais falam de mim, bem ou mal, mais poder acumulo. Veja como o diabo é poderoso, apesar de ser uma fantasia.

— Bem que você disse que foi mais que contemporâneo de Jesus...

— Fomos amigos íntimos e continuamos sendo.

— Caramba!

— Agora vamos falar de você.

— Depois dessa, fiquei mais curioso ainda.

— Antes de você se reencarnar a pedido das esferas superiores, fez algumas escolhas e exigências que estão aqui registradas.

— Eu exigi?

— Sim. Embora nem precisasse, porque, depois de certa evolução espiritual, naturalmente a pessoa atrai pra si o que tiver de melhor.

— Me lembro que você comentou isso.

— Então, você escolheu voltar à matéria, desta vez sem sofrer como da última vez. Veja.

— É mesmo! Que interessante! Tô sentindo que esta ficha me diz respeito.

— Você teve um ou outro incômodo, mas nada que pudesse ser chamado de sofrimento.

— O que mais me incomoda é uma saudadezinha que me acompanha a vida toda que não consigo superar nem entender do que é e de onde vem. Às vezes ela me aperta mais, se transformando até em tristeza. No momento não estou sentindo nada.

— Esse tipo de incômodo muitos sentem. É a saudade do lugar, das companhias e da vida antes de reencarnar.

— Então, antes de nascer eu devia estar num lugar muito bom...

— Você nem faz ideia. Por isso procuramos não revelar aos encarnados quem realmente são. Muitos poderiam se desiludir com a vida e apressar o desencarne.

— E outros, o contrário. Na matéria se sentem melhor.

— De fato.

— Barba, quero dizer, Jonas, você encarnou outras vezes?

— Sim. Meus amigos da época também. Deles estou autorizado a falar, mas de Jesus e Maria, não. Mas vamos voltar às suas escolhas.

— Tá.

— Você escolheu ensinar tudo aquilo que ensinou, bem como acabar com o mito de que quem luta e sofre, quem se sacrifica pelo próximo vence, tem mais valor e alcançará o paraíso. Veja os tópicos aqui.

— É mesmo, cara! Até agora eu fui direcionado exatamente pra isso. Veja aqui quando falei que só a caridade e a bondade não resolvem, que o mais importante é o controle da mente e consequentemente das emoções e sentimentos... Bem que você disse certa vez que o acaso não existe.

— Nem a coincidência, nem a sorte e nem o azar. O que existe é uma sincronicidade. A vida é sincrônica. Junta as pessoas, os fatos, os acontecimentos pra cada um desenvolver aquilo de que precisa.

— Isso parece mágico.

— A vida é mágica.

— O que mais escolhi?

— Quanto tempo permanecer na matéria. Veja.

— Até isso? Não é o espírito que escolhe quando devemos morrer ou reencarnar?

— Lembra quando falamos da responsabilidade?

— Lembro muito bem. Que não somos só o eu consciente e que a responsabilidade recai sobre tudo que somos: mente, espírito, alma etc.

— Quando atingimos certo grau evolutivo, percebemos que em muitos aspectos o espírito, o eu consciente e a mente já se confundem. Isso acontece naquelas áreas em que não há mais caos, em que já existe a organização. Aliás, tudo é uma coisa só. Há apenas essas estruturações pra facilitar o aprendizado, a compreensão e a evolução.

— Então, quando escolho, no fundo é meu espírito que escolhe por meu intermédio?

— Exatamente. O eu consciente só escolhe quando houver organização, e ainda assim junto com o espírito, por que já se confundem. Quando há caos, a pessoa não enxerga, e como vai escolher sem enxergar? Qualquer direção é a direção certa. O espírito é o detentor de toda a sabedoria. Mais que o espírito escolhendo, é Deus escolhendo por meio de você. Não somos todos UM? Se lembra do *big bang*?

— Somos todos UM, porém individualizados.

— Beleza! Na verdade não há escolhas, não há arbítrio, porque não há dois caminhos.

— Como assim?

— As pessoas pensam que há duas ou várias opções de escolha e se arrependem de terem feito a escolha errada. Bobagem! No fundo só há uma direção, só há um caminho: aquele que você percorre. Ou seja, aquele que você é induzido pelo espírito a seguir. O caminho que cada um percorre é único e perfeito. Não há caminho errado, uma vez que não há erros, mas experiências. Não há uma estrada que bifurca lá na frente. A estrada é sempre única e reta e nada está predeterminado porque nessa estrada tudo é sempre novo. Por isso culpa, arrependimento, perdão, condenação, revolta, julgamento é pura bobagem, fantasia da mente. Tudo que a pessoa fez ou faz, tudo por que a pessoa passou ou passa, foi e é perfeito, como Deus é perfeito. Por isso o passado é uma ilusão.

— A história da maçã de Sócrates.

— Se lembra? O ser humano não sabe errar. O ser humano não consegue fazer o que ainda não aprendeu totalmente.

— Não dizem que todos os caminhos levam a Roma?

— O que dá no mesmo. Se tudo é caminho, só há um caminho: aquele em que você vai. Todo caminho é certo, até aquele que você aprende ou ensina errado. Estou lhe dizendo essas coisas, ou melhor, estou relembrando, mas em breve você vai se dar conta de que já sabe de tudo e muito, muito mais.

— Quando?

— Em breve.

— Realmente eu sinto que já sabia.

— Mas a mente é muito limitadora. Primeiro, porque está reduzida por um cérebro físico de matéria densa. Segundo, porque absorveu muitos equívocos da sociedade, da família, da religião, da cultura. Terceiro, devido à influência muito forte do ego na matéria. Quando experimentou a iluminação, como você se sentiu?

— Que eu não tinha mente. Que o universo inteiro cabia dentro de mim.

— É isso aí.

— Mas, Jonas, a idade com que vou morrer não está explícita na tela.

— Eu sei. Só está especificado que você escolheu a idade.

— Não posso saber?

— Já está sabendo. Repare nas pessoas que estão presentes. Veja o campo energético delas.

— Certo.

— Percebeu alguma diferença entre elas?

— Parece que três têm uma espécie de cordão saindo por trás da cabeça.

— Isso mesmo. É o chamado cordão de prata. É através dele que flui a energia vital pra mantê-las vivas na Terra.

— Vivas?

— Elas estão desmembradas. Seus corpos estão dormindo.

— E os que não têm?

— São como eu. Vivem aqui no astral.

— Ou seja, já morreram.

— Morrer não é bem a palavra certa. Veja, não estamos vivos?

— Claro! Desencarnaram, então?

— É mais apropriado.

— Péra aí! — exclamou Cris levando um tremendo susto. — Quer dizer que eu... que eu... Estou sem... sem... o cordão... Quer dizer....

— ...que você desencarnou...

— Não é possível! Você bebeu, Barba? Tá delirando! Eu mo.. .rri? Como, Barba? Como, Jonas? Não pode ser! Não, não é verdade! Eu moo... morri? Fala sério, Jonas! Você não disse que eu tava em viagem astral? Pô! Você mentiu?

— Disse só pra te dar a notícia aos poucos.

— Como isso aconteceu? E minha mãe? Meu pai? Meu... meu filho? Meus...

Com um sinal de Jonas, as oito pessoas formaram um círculo ao redor de Cristiano, acalmando-o com uma forte dose de energia.

— Se lembra que estávamos sob a árvore da lagoa?

— Claro que me lembro! O tempo estava ameaçador... Meu Deus! Eu morri!

— Um raio atingiu a árvore e você não suportou o reflexo da descarga elétrica.

— Foi mesmo? Eu morri? Pô, Jonas! E você nem pra me ajudar? Nem pra me dar um toque? E ainda ficou me enrolando? Que espécie de amigo é você?

— Mas eu o ajudei. Foi tudo de propósito. Te fiz um favor.

— De propósito? Favor? E você ainda diz que me ajudou? Imagina se fosse pra me ferrar?

— Cris — interveio Jonas rindo, acompanhado pelos presentes —, esse susto, essa resistência, esse espanto, muito dificilmente não acontecem. Por mais que a pessoa tenha conhecimento do processo da passagem, raramente está livre da surpresa. Não venha me culpar por sua morte. Se lembra de que somos cem por cento responsáveis...

— Já sei, já sei, não precisa repetir isso um milhão de vezes!

— Além disso, leia aqui — disse Jonas apontando para um item da tela.

— "Não quero saber quem sou; não...; quero desencarnar sem saber e sem dor."

— Viu? Foi uma condição sua.

— Eu impus essa condição? Que absurdo! Não pode ser! Acho que eu não tava batendo bem das bolas!

— Você ainda está muito sugestionado pelo ego. Já, já você vai saber de outras verdades e tudo isso vai desaparecer. Por melhor que fosse sua vida na Terra, nada se compara ao que lhe espera. Aposto que ainda vai achar que demorou muito tempo por lá.

— Por isso tudo na minha vida acontecia tão rápido?

— Exatamente.

— Não é possível! Eu morri! Como estão meus pais?

— Se lembra da angústia, da tristeza?

— Sim.

— São deles. Por isso o distraímos por aqui, mostrando minha casa. Quisemos poupá-lo de ver tudo aquilo. E vai piorar, porque o mundo todo está comovido, principalmente o

Brasil, onde o governo decretou feriado nacional na segunda-feira por ocasião do seu enterro.

— Acho que muitos gostaram da minha morte — novos risos.

— Esses amigos estão aqui pra formar um campo energético impedindo que tamanha energia o prejudique.

— A não ser que eu não me envolva emocionalmente.

— Isso é fundamental. Mas, por precaução, estarão por perto nesses primeiros dias. Eu pedi a esses amigos encarnados que viessem pra cá nessa ocasião especial pra você perceber a diferença entre "mortos e vivos" e se convencer de imediato da sua nova condição, pois assim facilita muito o processo da passagem. Havia outras maneiras, mas preferi essa.

— Eu morri! Não consigo acreditar! Acho que vai demorar pra cair a ficha. Deve tá acontecendo a maior muvuca lá na Terra por minha causa.

— Certamente está. Depois, se quiser, podemos assistir um pouco através dos aparelhos que temos aqui. Acho que vai achar até cômico tudo aquilo. Descer lá por enquanto você não pode.

— Que interessante! Tô com a mesma roupa que morri. Até a tatuagem veio junto.

— Quando a pessoa morre, ela traz as últimas impressões. Se lembra das chagas de Cristo?

— É mesmo.

— Mas é tudo ilusão. Você já sabe desfazer e refazer tudo com maestria. A interferência da mente aqui é mais poderosa.

— Já sei. Devido à coesão dos átomos e das moléculas ser menor que na Terra. Meu Deus! Eu morri? Como tudo aqui é parecido com a Terra! Tudo tão sólido, tão concreto, tão material!

— Lá é cópia daqui, uai!

— Ah, sim, Jonas de Deus! Me lembrei de uma coisa. Agora estamos na mesma frequência, né?

— Claro, amigo! Bem-vindo à minha frequência!

— Então... me dá um abraço, pô!

Emocionados, os dois se abraçaram longamente, repetindo o gesto com os demais.

59

Cristiano estava hospedado na casa de Jonas, no melhor aposento do palácio, situado no último andar. Para se ter uma ideia do conforto, da beleza, da fragrância, da luminosidade, da energia que rolava, se acaso houvesse um hotel dez estrelas na Terra, a suíte presidencial seria inferior em todos os aspectos. Apenas alguns detalhes: os vidros das janelas eram de cristal e os contornos de marfim-dourado e azul-turquesa. A vista que se tinha, com jardins estonteantes, não tinha similar na Terra. O nosso mais fino tecido não se comparava com os tecidos das cortinas, dos lençóis, das toalhas, das roupas. E os tapetes então? Aquela estátua de esmeralda fazia parte da decoração. Na televisão havia programas em que figuras famosas se apresentavam ao vivo.

Volta e meia Cristiano se perguntava: "Caramba! Eu morri?". Jonas já lhe explicara que era assim mesmo. As pessoas que morriam repentinamente agiam dessa maneira, já as que viam seu corpo definhando paulatinamente, em decorrência de uma doença grave, sabiam que não tinham cura e se conformavam logo. Muitos até ficavam felizes porque percebiam que não morriam e que sua saúde iria se recuperar obtendo um novo corpo. Isso para aquelas que morriam com certa lucidez. Para as que cultivavam muitas fantasias sobre a vida após a morte era bem mais difícil, e para aquelas que morriam muito perturbadas a situação piorava bastante, pois no umbral ficavam ao deus-dará com nenhuma ou quase nenhuma assistência.

Cristiano foi informado de que permaneceria ali por alguns dias. Depois lhe seriam reveladas novas verdades e sua situação mudaria bastante. Jonas adiantou que seu último compromisso, antes de ir para sua morada definitiva, seria se apresentar para todo o planeta. Mr. Scott fora incumbido de divulgar a notícia dentro de dois dias.

— Jonas, onde estão meus avós?

— Eles estão bem, mas numa frequência inferior a esta. Eles não conseguem vir até aqui. Mesmo que conseguissem, não veriam nada. Para encontrá-los teremos que descer.

— Mas não é onde o Judas perdeu as botas, é?

— Parece que você ficou mais engraçadinho depois que morreu.

60

A Terra, ainda entristecida com a morte de Cristiano, aguardava com ansiedade seu aparecimento na televisão e no computador. Muitas cidades do Brasil continuavam com a bandeira hasteada a meio pau. O acontecimento havia sido programado para a sexta-feira e o governo brasileiro decretara feriado nacional. Ana Maria, Caio, Reinaldo e Robinson combinaram de assistir à transmissão juntos na sede da Fazenda Santa Luzia.

No astral, o evento, que teria a duração de uma hora e meia, fora preparado como um megaespetáculo. Seria transmitido de um parque muito bonito e estava sendo esperado um público de quarenta mil desencarnados. O palco não era como os daqui. Era aberto em cima, com cenários que mudavam rapidamente, dependendo do artista que iria se apresentar. Seriam cerca de doze personagens famosos, entre eles cantores, atores, músicos, pintores, bailarinos e comediantes. O apresentador seria um brasileiro muito popular, ex-apresentador e muito cômico.

A quinze minutos do show, a ansiedade de Aninha e dos irmãos aumentara vertiginosamente, virando aflição. Praticamente não haviam dormido à noite e não conseguiam ficar parados em silêncio por um segundo. No astral, já tinham ligado os aparelhos e a música característica que antecedia às transmissões já se fazia ouvir.

Faltava meio minuto. Ao som das trombetas, as cortinas do palco se abriram e a sinfônica regida por um compositor clássico muito popular tocou uma música brasileira. O apresentador adentrou o palco com seu tipo peculiar, fazendo um estardalhaço danado e sendo aplaudido por quarenta mil desencarnados sem contar os vivos. Assim, a ansiedade e o estado aflitivo dos vivos diminuíram sensivelmente. A primeira artista a ser chamada foi uma brasileira mundialmente famosa, sucedida por diversos outros cantores, músicos, esportistas de diversos países.

O apresentador, olhando para a câmera, disse:

— Aninha, aqui tá sua mãezinha. Reinaldo e Robinsão, aqui tá seu paizão.

Com gritos de emoção e muito choro, os três viram atônitos seus pais surgirem no palco.

— Mãããe..., mãããe..., pááái..., pááái...

Com os olhos vidrados na tela, não sabiam bem o que dizer.

— Ela... tá... tão linda!

— Eles tão... mais... novos!

— Mãããe..., pááái..., mãããe..., pááái...

— Silêncio! Quietos! — interveio Reinaldo. — A mãe vai falar.

— Fia do céu! Meus fio! Quanta saudade, fios de Deus! Eu e seu pai já vimo ocêis bastante. Cêis só vê nóis quando dorme. Cêis pensa que é sonho, mas não é. Quanta saudade, meus fio! Eu e seu pai acabamo de encontrar o Cris. Ele tá lá atrás. Tô tão emocionada! Fia, aqui é muito diferente do que ensinaro pra gente. É tudo a cabeça da gente que manda. Aqui tem médico muito bão. Tem gente muito boa. Ainda não vi Jesus, não vi Nossa Senhora, nem anjinho, mas também não vi nenhum capeta e nem Judas, graças a Deus! Deus abençoe ocêis, meus fio!

— Oi, meus fio! O pai ama muito ocêis. Aqui tá muito bão. Hoje a gente não pode conversar muito, mas na semana que vem nóis fala em Pouso Alegre. Deus abençoe ocêis!

Caio, Ana Maria e seus irmãos ficaram sem palavras. Enquanto se abraçavam, a única coisa que saía de suas bocas era o choro. Mas a emoção mais forte ainda estava por vir. Iam ver isso milhares de vezes, pois tudo estava sendo gravado.

A sinfônica e o coral executavam a música *Jesus, alegria dos homens,* de Johann Sebastian Bach. O apresentador se despediu com uma menção especial ao Brasil. As cortinas se fecharam, a sinfônica e o coral iniciaram uma música de suspense. Com um cenário simplesmente divino, sem precedentes na Terra, com efeitos especiais espetaculares, todas as cortinas se abriram vagarosamente, assim que o maestro começou a reger a música *Aleluia*, de Handel, a duzentos decibéis. Então, apareceu volitando entre nuvens coloridas que faziam parte do cenário, no fundo, ao alto, Cristiano, que lentamente desceu e pousou suave à frente do palco...

Melhor não explicar o que desencarnados e encarnados presenciaram, ouviram e sentiram naquele momento.

61

O espetáculo fizera Cristiano se sentir mais realizado ainda. Sentiu que suas invenções trariam enormes benefícios à Terra. Aquele era o último dia de sua permanência na frequência de Jonas, só que ele não sabia disso. Todos sentiam um clima diferente, uma energia especial pairando no ar. O azul do céu estava mais intenso, contrastando com nuvens brancas e alaranjadas do final de tarde. Um suave aroma se espalhava pelos jardins celestiais, acompanhado por uma música angelical proveniente das árvores floridas. Tudo ali era mágico. Aqui e acolá se formavam grupinhos de convidados de Jonas.

Eram seis da tarde e Jonas, na companhia de Cristiano, chegou ao local. Cumprimentaram e abraçaram o maestro, outro músico clássico muito famoso, ao lado da sua filarmônica de cem músicos, mais duzentos integrantes do coro.

— Jonas, que surpresa é essa? — estranhou Cristiano.

— É pra esclarecer uma dúvida sua.

— Dúvida minha?

— Não é bem uma dúvida, mas uma curiosidade.

— Curiosidade?

— Não é bem uma curiosidade, mas uma verdade.

— Pô, Jonas! Você tá me enrolando de novo! Espero que desta vez não caia um raio na minha cabeça.

— De forma alguma. Você não corre mais esse risco. Você tem o domínio sobre todos os raios, trovões, furacões, ventos e tempestades.

— Que é isso, Jonas! Você quer que eu acredite que tenho todo esse poder?

— E muito mais!

— Caramba! Então, quem eu sou, caramba!? Pode ser ou tá difícil?

— É essa a verdade que quero te revelar. Você é um amigo meu de pelo menos dois mil anos.

— Caraca! Então também fui contemporâneo de Jesus? Não vai me dizer que fui um dos apóstolos?

— Agora, volte para sua morada e lá você vai saber quem é. Vá... suba para a glória de nosso Pai.

Ao proferir a última frase, Jonas, com os olhos umedecidos, se afastou de Cristiano e sinalizou para o maestro. Imediatamente, orquestra e coro iniciaram, a todo volume, a *Ode à Alegria* de Beethoven. No mesmo instante o céu se transformou e nuvens das mais diversas cores se movimentaram sobre o local sem se dispersarem. Então, uma nuvem amarela e violeta, com várias tonalidades, de uma luz muito intensa, desceu envolvendo Cristiano. Surgiram ao seu lado Maria, São José e o Arcanjo Gabriel.

Anjos, arcanjos, serafins, querubins, potestades e principados dominavam o firmamento em filas que sumiam no infinito, acompanhando com suas vozes o coro e a orquestra, enquanto Cristiano era alçado lentamente. No céu, a noroeste, viam-se anjos segurando um enorme pergaminho com os dizeres em letras douradas brilhantes: GLÓRIA A DEUS EM CADA UM E PAZ NESTE PLANETA TÃO MARAVILHOSO.

Posfácio

Não tenho a pretensão de descrever com precisão, mesmo pequena, o que Jesus diria e faria se por acaso voltasse à matéria. Particularmente não acredito em seu retorno. Supondo que voltasse, como muitos esperam, com base no que aprendi de espíritos desencarnados nos últimos vinte e tantos anos através de trabalhos com o médium Gasparetto, sobre o que conta e o que não conta pra viver bem tanto aqui como na vida após a morte, no meu ponto de vista, seus ensinamentos e discursos seriam próximos aos descritos pelos personagens deste livro.

Acredito que ele enfatizaria, por exemplo, que não basta apenas ser bom, praticar a caridade e ajudar o próximo, que a disciplina mental e o controle sobre a mente e, consequentemente, sobre as emoções e sentimentos são as coisas mais importantes pelo fato de estarmos na matéria plena de ilusões. Ele diria que primeiro é preciso se ajudar, se amar, se pôr em primeiro lugar, e assim automaticamente estará ajudando os outros; que a Ciência e a espiritualidade andam de mãos dadas, e aproveitaria o que houvesse de mais avançado na tecnologia e na mídia para divulgar suas ideias. Ele investiria pesado em educação, principalmente no ensino da verdadeira espiritualidade, pois a ignorância é a causa de todos os males, e assim a paz reinaria na Terra, pois haveria somente homens de boa vontade. Insistiria, como da outra vez, que Deus está em cada um e não fora e que o crer faz acontecer: "*tua fé te salvou*". Por isso cada um é responsável por tudo o que de bom ou ruim acontece em sua vida. Valorizaria a individualidade do ser humano com o intuito de acabar com qualquer tipo de preconceito. Propagaria que a dor e o sacrifício não valem a pena, e que se pode muito bem vencer sem sofrer, sem lutar. Aliás, quem luta nunca vence, pois acredita nela e sempre terá uma nova à disposição. De uma coisa tenho certeza: ele jamais se revelaria como Jesus, pois o crucificariam novamente.

Um abraço!

Lúcio Morigi

Coordenação de comunicação: Marcio Lipari
Coordenação de arte: Priscila Noberto
Coordenação editorial: Tânia Lins
Assistente editorial: Mayara Silvestre Richard
Capa e projeto gráfico: Jaqueline Kir
Diagramação: Priscilla Andrade
Preparação: Sandra Garcia Custódio
Revisão: Cristina Peres

1ª edição — 1ª impressão
5.000 exemplares — março 2014
Tiragem total: 5.000 exemplares

Dados Internacionais de Catalogação na Publicação (CIP)
(Câmara Brasileira do Livro, SP, Brasil)

Morigi, Lucio
O cientista de hoje / Lucio Morigi. — São Paulo : Centro de Estudos Vida & Consciência Editora, 2014.

ISBN 978-85-7722-280-3

1. Ficção brasileira I. Título.

14-01937 CDD-869.93

Índices para catálogo sistemático:
1. Ficção : Literatura brasileira 869.93

Este livro adota as regras do novo acordo ortográfico (2009).

Editora Vida & Consciência
Rua Agostinho Gomes, 2.312 - São Paulo - SP - Brasil
CEP 04206-001
editora@vidaeconsciencia.com.br
www.vidaeconsciencia.com.br

VIDA & CONSCIÊNCIA
GRÁFICA

Rua Agostinho Gomes, 2.312 – SP
55 11 3577-3200

grafica@vidaeconsciencia.com.br
www.vidaeconsciencia.com.br